小川仁志

「当たり前」を疑う100の方法

ノベーションが生まれる哲学思考

GS
幻冬舎新書
721

はじめに
――イノベーションを起こすには、当たり前を疑うしかない

今ほど新規事業が求められている時代はないでしょう。どこの業界も新しいやり方、新しい製品、新しい発想を求めています。なぜなら、これをやっていれば安泰という時代がすでに終わりを迎えたからです。

多くの企業が前世紀に築き上げたレガシーで延命を続けていますが、21世紀も四半世紀が過ぎれば、もうさすがにそれでは持たないことに気づきます。イノベーションが必要なのです。

そのためには、これまでやってきたことを疑う必要があります。成功例や業界の常識だけでなく、身の回りのすべての当たり前を疑う必要があるということです。ただ問題は、当たり前を疑うといっても、その方法がわからない点です。日本では物事の疑い方を教わりませんから。

その逆で、学校では常に信じる教育が行われてきました。教科書や先生の話を信じるというように。批判的思考は、大学に入ってようやく導入されますが、それでは遅いのです。批判的

に考える、疑うということの意味がよくわからないまま、日本の大学生は社会に出ます。そしてビジネスパーソンとしても、相変わらず何の疑いもなく前例踏襲で仕事をするのがまさに「当たり前」になっています。

それでは欧米に比べイノベーションが起こらないのも無理はありません。ＧＡＦＡと呼ばれる世界経済をけん引する巨大ＩＴ企業群が、いずれも欧米の企業であるのは偶然ではないのです。ではなぜ欧米ではイノベーションが起こるのか？

それは欧米では当たり前を疑う方法を学んでいるからです。小学校から大学に至るまで、彼らは批判的に思考すること、疑うことを積極的に教育に取り込んでいます。だから授業中でもよく手を挙げて質問します。いや、手さえ挙げることなく質問し出します。質問があるということは、疑っている証拠なのです。その反対で、日本の授業では質問はほとんど出てきません。

そんな欧米の教育の根底にあるのが、哲学にほかなりません。その典型はフランスですが、どの国も程度の差はあれ哲学を意識しています。哲学が西洋で発展してきたことに鑑みれば当然でしょう。

したがって、彼らは哲学を難解で役に立たない学問だとは思っていません。現に、経営者が大学で哲学を学んだり、あるいは哲学者を経営に参画させたりということも盛んに行っています。

その哲学の最も重要な要素こそが、当たり前を疑うということなのです。したがって、哲学という学問には、当たり前を疑うためのノウハウが多く蓄積されています。本書は、その方法を余すところなく紹介したものです。具体的には、パートⅠで一般的な疑うためのノウハウを50個紹介し、パートⅡで個別の問題について疑うためのノウハウを50個紹介しています。

ぜひ、これらの方法を活用し、身の回りの当たり前を疑っていただけると幸いです。実践しやすいように、個々のノウハウの使い方も掲載しておきました。

さあ、片っ端から身の回りの当たり前を疑って、イノベーションを起こしましょう！　世の中を変えるのはあなたです。

「当たり前」を疑う１００の方法／目次

DTP 美創

パートI

当たり前を疑うためのワザ50

1 別の事実を突きつける
――ソクラテスの問答法

〈解説〉

哲学の父と称される古代ギリシアの哲学者ソクラテス（紀元前４７０頃－紀元前３９９）は、当たり前を疑うことでこれまでにない学問のスタイルを確立したといっていいでしょう。その方法こそ、「問答法」と呼ばれるメソッドにほかなりません。文字通り相手に対し質問を投げかけることで、相手の口から答えを導き出す手助けをする方法です。表面的には相手のいうことに繰り返し反論しているように見えるので、反駁《はんばく》的対話とも呼ばれます。

具体的には、相手がある意見を出すと、ソクラテスはそれを思い込みであるとして覆そうとします。そのために相手の意見の前提、つまり根拠そのものをひっくり返すような別の事実を突きつけて、それを認めさせます。そうすると相手は、自分の意見が間違っていることを認めざるを得なくなります。そうやって対話が繰り返され、相手は自ら真理へと到達していくわけです。

少しいやらしい感じもしますが、あくまで対話なので自分の主張もまたこのプロセスにさらされます。したがって、意見の一方的な押し付けではなく、相互に開かれた対話となるのです。
この方法を自分の脳内でも試すことができれば、常に自分で当たり前を疑えるようになります。つまり、自分の脳内ソクラテスに、思い込みの前提を覆すような逆説的な事実を探させ、それをもう一つの別の事実として突きつけさせればいいのですから。

〈こんな感じで使ってみよう〉

Ⓠ—逆境はつらいという当たり前の事実を疑ってみてください。

Ⓐ—たしかに逆境はつらいものです。誰に聞いてもそう答えるでしょう。そこで脳内ソクラテスに前提を覆すような別の事実を突きつけさせます。たとえば、逆境というのは自分にとって不運な状況のことを指すわけですが、人間は困難を乗り越えて初めて成長したり、達成の喜びを得たりする生き物だという事実を突きつけます。そうすると、必ずしも逆境がつらいとはいえないように思います。逆境の先にある成長や喜びに目を向ければ、つらくはないのではないでしょうか。人があえて困難なことに挑戦するのはそうした理由からだと思います。つらいと感じるのは、そこに何のプラスの要素も見出せていないからです。実は私もそうです。日頃哲学者として悩み相談に答えているのですが、自分に不運なことがあるたびに、これで人の苦しみがわかると思うようになって以来、逆境はつらくなくなりました。

2 判断を中止する
——フッサールの現象学的還元

〈解説〉

現象学の創始者とされるドイツの哲学者エトムント・フッサール（１８５９－１９３８）は、人が客観的な事実や情報だけに頼って思考する態度を自然的態度と呼んで批判しました。なぜなら、自然的態度によって頭の中に描かれるのは、ある意味で捏造《ねつぞう》された像だからです。客観的なものですらありません。

たとえば、誰もが花を見た経験があると思います。それでは自分が丘の上に立って花を見ている様子を想像してみてください。今多くの人は、丘の上に立つ自分をまるでクレーンカメラでとらえたかのような像を頭の中に描いたのではないでしょうか？　きっと映画などでそういうシーンをよく目にするからでしょう。でもそれは本当の自分の経験ではありません。

本当の自分の経験であれば、花しか見えないはずです。クレーンカメラでとらえた像は、自分でも気づかないうちに捏造してしまった世界像なのです。

だからフッサールは、そういった既知の情報をいったん脇に置いて、意識の中に浮かんでくるものだけを信じよと説くのです。この既知の情報をいったん脇に置く行為を「エポケー（判断中止）」といいます。こうだと思うことを「いったん括弧《かっこ》に入れる」と表現されることもあります。否定ではなく、判断を留保するだけだからです。

　このように、当たり前を疑って本当の経験だけで物事をとらえるためには、心の中で対象の全体像を再構成するプロセスが必要となってきます。これを「現象学的還元」といいます。エポケーをきっかけに現象学的還元をして初めて、私たちは物事の正しい姿をとらえることが可能になるというわけです。

〈こんな感じで使ってみよう〉

Ⓠ—遠足の前日のワクワクを思い出して、その様子を正しく記述してください。

Ⓐ—誰もが遠足の前日のワクワク感を覚えているのではないでしょうか。ただ、そこで目がさえて何度も起きてしまう自分を思い浮かべたら、ちょっと嘘ですよね。その様子をエポケーして、現象学的還元をしてみてください。この場合エポケーすべき既知の事実は、「目がさえて寝られない自分の姿」です。そうして現象学的還元によって改めて思い出すと、布団の中から見る天井が浮かび上がってくるはずです。部屋の天井に、翌日起こるであろう様々な出来事を映し出していたのではないでしょうか。まるで映画の予告を見るかのように。

3 要素に分解する

——デリダの脱構築

〈解説〉

フランスの哲学者ジャック・デリダ（1930－2004）が唱えた「脱構築」とは、物事を一から作り直すことを意味します。デリダの目から見ると、近代社会においては、偏った価値観が正しいものとして固定化しており、そのせいで社会が行き詰まっているように思えたのです。たとえば男性優位社会であるとか、ヨーロッパ中心主義、植民地主義などがその典型です。

そこでデリダは、こうした西洋近代が構築してきた人々の態度を一からとらえ直そうと試みました。それが脱構築という概念にほかなりません。構築を脱する、つまり構造物を解体し、構築し直すというような意味になります。大事なのは、単に解体するだけではなく、構築し直すという点です。

具体的には、その物事を構築している要素をバラバラにし、必要なものだけ拾い上げて再構成することになります。そうすることで、ネックになっている問題は要素から省くことができるからです。

この発想は様々な分野に応用されていますが、有名なのは脱構築主義建築でしょう。建物は何も四角である必要はありません。要素をバラバラにし、必要なものを拾い上げていけば、自ずとその建物のコンセプトに合った形になるはずです。こうしてユニークな形の建造物が誕生しました。

何事も既存の形や前提にこだわっていては、大きく変えることはできません。だから脱構築で要素をバラバラにする必要があるのです。

〈こんな感じで使ってみよう〉

Ⓠ―働き方を脱構築してください。

Ⓐ―まず、働くということに含まれる要素を列挙してみます。たとえば、収入、やりがい、自己実現、出世、アイデンティティ、居場所、コミュニケーション、社会貢献、人間関係、通勤、残業等々。この中から、自分にとって必要なものだけを拾い上げて脱構築すると、もっと自分に合った働き方を選択することができます。私が第二の人生を考えるとしたら、出世、通勤、残業はネックになる要素なので省きます。そしてやりがいや自己実現、さらには社会貢献を最大限重視することで、フリーランスとして公益に尽くすような新しい働き方を選択すると思います。

4 動きとして見る
——ドゥルーズの生成変化

〈解説〉

フランスの哲学者ジル・ドゥルーズ（１９２５－１９９５）は、「あらゆる物事は常に変化を続けている」として動的にとらえました。一見動いていないようなものも、実は何らかの変化をしている可能性があるといいます。そうした運動のことを彼は「生成変化」と呼びます。

生成変化は、決して樹形図のように論理的に展開していくことはありません。そうではなくて、縦横無尽に生じる非論理的なものです。そこでドゥルーズは、樹形図を「ツリー」、生成変化を「リゾーム」と名付けました。リゾームとは地下茎の一種である根状茎を意味する語です。いわば中心を持たないネットワーク状のものです。

実はこのツリーとリゾームは、人間の思考法の二つのパターンでもあります。幹から枝が分かれていくツリーはロジカルシンキングの典型です。しっかりとした基本原則を立てて、あくまでもその原則を基準として、いくつかのパターンや例外を考えていくというものです。

これに対して、リゾームの方は、中心も起終点もないネットワーク型の思考法です。各々の部分が自由に接続していき、結果として全体を構成するインターネットのようなイメージです。

それゆえ、新たなものが接続することによって、全体の性質が変わってしまいます。だから生成変化なのです。この点に無限の潜在性が秘められているといっていいでしょう。そんな動的なものとして物事をとらえることができれば、世界の可能性はもっと広がるに違いありません。

〈こんな感じで使ってみよう〉

Ⓠ―一見動いていないものを生成変化の途中であるととらえてみてください。

Ⓐ―すべての事柄は生成変化の途中だとすれば、目の前の出来事は、いわばその動的な流れを輪切りにした状態に過ぎないということになります。たとえば、目の前にある自分のパソコンも、購入して以来一見何の変化もしていないかのようですが、実は少しずつ変化し続けているのです。もちろん夜ごと私たちの知らないところで進化しているという意味ではありません。そうではなくて、時間と共に物はなんでも劣化しますし、地球のプレートの動きに応じて移動しているというような意味です。あるいは概念として、パソコンというものの意味が時代と共に変化しているととらえることもできるでしょう。

5 逆から見る
——カントのコペルニクス的転回

〈解説〉

日頃私たちはどのように物事を認識しているでしょうか？　近代ドイツの哲学者イマヌエル・カント（１７２４－１８０４）によれば、私たちはまず感性によって対象をとらえます。ところが、その際、あるがままのものをとらえているのではないといいます。

というのも、私たちは物事をとらえる時、視覚や聴覚といった五感を働かせていますが、人間の五感には限界があるからです。つまり私たちは、その限界の範囲でしか物事をとらえていないのです。

あえてショッキングないい方をすると、私たちが物を認識しているのではなく、逆になんと、物が私たちに合わせて存在しているというわけです。これは地動説を唱えたコペルニクスになぞらえ、「コペルニクス的転回」と呼ばれています。

たしかに、私たちが目の前にいる猫をニャンと鳴く四足歩行の尻尾の長い小動物だと思っているのは、そのようにしかとらえることができないからです。仮に猫が特殊な超音波を発し、見えない羽のようなものを持っているとしても、私たちには何も聞こえませんし、見ることもできないでしょう。

　こうしたものの見方を意識すると、物事を逆からとらえることが可能になります。自分の方から物事をとらえるのではなく、対象の方からとらえるのです。具体的にそれは、五感を超えた能力を想定して対象を想像することを意味します。本当は人間にはとらえきれていないこんな部分があるのではないかと想像してみるということです。

〈こんな感じで使ってみよう〉

Ⓠ―ペットボトルについて、五感を超えた本当の姿を想像してみてください。

Ⓐ―普段私たちは、ペットボトルのことを手でつかめるサイズの透明のプラスチック製容器だととらえているはずです。おそらく無臭で音も発していません。しかしそれが私たちの五感の限界です。本来のペットボトルの色は、もしかしたら透明ではなく赤とか緑かもしれませんが、それは誰にもわかりません。人間の視覚には限界があるからです。また、嗅覚が通常の1万倍とかであれば、気絶するような化学物質の匂いがするのではないでしょうか？　こんなふうに考えると、何の変哲もないペットボトルも別のものとしてとらえることができます。その結果、色や形、あるいは活用方法さえも新しい可能性が広がっていくに違いありません。

6 相手に合わせて変わってみる

――セールのエートル

〈解説〉

フランスの思想家ミシェル・セール（１９３０－２０１９）は、人が物事を考えるという当たり前の事実について、とても意外なとらえ方をしました。普通は物事を考えるというと、私たちは確固たる自分がいて、その自分が物事を外側から眺めているようなイメージを抱くでしょう。

ところがセールは、私たちが物事を考える時、考える対象そのものになっているというのです。たとえば、コップについて考える場合、私たちはそのコップになっているというわけです。不思議に思われるかもしれませんが、反対に何も考える対象がない状況を思い起こせばわかるのではないでしょうか。

何も考える対象がない時、私たちは何も考えることはできません。考えるというのは、常に「何かについて」です。だから確固たる自分がいて、その自分が物事をとらえようとしているのではありません。むしろ私たちは対象によってその都度変化しているのです。

セールは、そんな人間のことをフランス語の動詞「エートル」（英語でいうbe動詞にあたる）にたとえています。エートルは主語に応じて形を変えます。だとすると、たしかに私たちは思った以上に対象に溶け込み、没入しているような気がしてきます。

この発想が面白いのは、考える対象が人間の場合、私たちは相手に合わせて変わることができる点です。それを意識すれば、人間関係はもっとよくなるような気がします。

〈こんな感じで使ってみよう〉

Ⓠ—嫌な人とうまくやっていく方法を考えてみてください。

Ⓐ—嫌な人というのは、自分の性格と合わない人のことをいうのだと思います。だとすると、そんな人とうまくやっていくのは相当大変なことです。なぜなら、自分の性格を変えるというのは至難の業だからです。もちろん相手を変えるなどというのも不可能に近いでしょう。ただ、自分の性格までは変えられなくても、自分の態度を変えることは可能です。セールのいうエートルを意識して、相手に合った自分に変化しようと心がければ、少しはうまくやっていけるのではないでしょうか。

7 余計なものを重視する

——セールのノワーズ

〈解説〉

余計なものとは何か？　その一つの典型例が、フランスの思想家ミシェル・セール（1930－2019）の「ノワーズ」という概念です。ノワーズというのは、ノイズのことです。一般にノイズは余計なものだと思われていますが、セールによるとあらゆる音にノイズが混ざっているように、本来それは私たちを規定する重要な要素です。たとえば、自分の評価だって本当は先生や上司だけでなく、いろいろな人の声の集まりのはずです。いわばノイズはこの世界のバックグラウンドであるとさえいえます。ただ普段それに気づいていないだけのことです。

なぜ気づかないかというと、一番目立つ単一のものだけを基準に世界をとらえているからでしょう。セールはむしろ「あるがままの多」に目を向けよと主張します。まさにノイズを含んだそのままの世界のことです。あるがままの多には、無数の情報や形態が含まれています。

セールがここで「あるがまま」という表現を使っているところがポイントだと思います。本当はノイズの方が正しいのです。にもかかわらず、不自然なことにそこから一部だけを取り出して、しかもそれが中心だと思ってしまう私たち。だから間違ったり、失敗したりするのではないでしょうか。

　もっとも、ここでいうノイズは、あくまで比喩です。本当は重要な部分なのに、普段気づかないものや場所、一言でいうと物事の断片のことです。隅とか余白とか、付属品、副作用、脇役のような。そうした物事の部分に着目するだけで、新しいものが見えてくるはずです。私たちは日頃いかに単一の基準の中で、多くのものを見逃してしまっていることか。ぜひ「余計なもの」を重視してみてください。

〈こんな感じで使ってみよう〉

Ⓠ―自分を取り巻く日常のノイズに耳を傾けてみてください。

Ⓐ―たとえば世界の情勢を知るために、私たちはニュースを見ます。でもよく考えてみれば、ニュースはセールのいう単一のものに過ぎないのかもしれません。どこかのメディアが切り取った断片的な声に過ぎないということです。戦争のニュースが典型でしょう。本当はもっと多くの見方があり、多くの声があるにもかかわらず、それには気づいていないのです。爆発音とキャスターの声にかき消されたノイズ。それこそが真実を伝えているにもかかわらず……。真実は現地で様々な人の話を聞き、うめき声に耳を傾けることで初めて見えてくるものです。

8 欲望のさらにその奥をのぞき込む

——ラカンの「対象a」

〈解説〉

人間には欲望がつきものです。でもそれは本当に望んでいることなのかどうか。フランスの哲学者ジャック・ラカン（１９０１－１９８１）は、そんな欲望の奥にある欲望の正体に着目しました。もともと彼は、フロイトの精神分析を発展させて、独自の理論を構築したとされる精神分析家でもあります。

そんなラカンによると、人間というのは欲望を持たざるを得ない存在です。しかも人間は言語によって物事を考える生き物であり、それゆえに言語で形成された世界の外側にあるものに気づくことができません。車が欲しいとか服が欲しいとかいう時、車や服という言葉の外側には気づかないということです。

そしてラカンは、その外側にあるものこそが欲望の正体だというのです。いわば本当の欲望です。それはラカンの用語で「対象a」とも表現され、際限のない欲望の対象とでもいうべきものです。

ラカンの分析に従うと、私たちは「対象a」のせいで、時に原因不明の精神的病を患ってしまうことがあります。満たされない欲望は人を苦しめますから。とすると、人が苦しんだ時にまずやるべきなのは、対象aを特定することです。

そうしてラカンは、治療として患者と対話しながら対象aを特定していきました。そのプロセスで注意しなければならないのは、話の内容を自分の経験や憶測に結び付けるのではなく、むしろ知らないことを自覚し、常に経験の多様性に自分を開いていく、「非—知」の態度で臨むということです。これは自分で自分のことを分析する時にも役立ちます。先入観を取り払って、本当は自分は何を求めているのか、欲望のさらにその奥をのぞき込む必要があるのです。

〈こんな感じで使ってみよう〉

Ⓠ—物欲の奥に何があるか検証してみてください。

Ⓐ—人間には物欲があります。でも、本当にその物が欲しいのでしょうか。よくよく考えてみると、その物が手元にある日常を求めているとか、その物を介して誰かとコミュニケーションすることを求めているという本音が隠れているのではないでしょうか。たとえば、おもちゃを欲しがる子どもは、本当は親と遊ぶ時間を求めていることがあるというように。そう考えると、物欲とは必ずしも物質的なものを求める欲望ではないのかもしれません。

9 急に世界が変わると仮定する

——メイヤスーの思弁的実在論

〈解説〉

現代フランスの哲学者カンタン・メイヤスー（1967－）は、「思弁的実在論」という最新の哲学の旗手として評価されています。思弁的実在論とは、すべてを人間との関係で論じようとする伝統的な哲学の考え方を否定する立場のことをいいます。従来の哲学は皆、人間を基準にして物事をとらえようとしてきたのです。

これに対してメイヤスーは、人間には思考不可能な部分がありうることを指摘しました。つまり私たちの常識を超えた未知の世界だってあるということです。たとえば、世界がまったく偶然的に、別の世界に変化してしまう可能性だってありうるというように。

こうしてメイヤスーは、その意味での偶然性だけは必然であると論じ、一寸先の世の中が予測不能のまったくの無秩序な状態、ハイパーカオスになる可能性について指摘したのです。

はたして私たちはそのハイパーカオスを理解し、そこにアクセスすることができるのか？

ここでメイヤスーは数学を用いよと主張します。数学は人間の主観的な世界を超えた普遍的なものだからです。コンピューターが数字だけで未来予測するように。

とはいえ、数学も人間が作ったものなので、本当に普遍性があるかどうか疑わしいという議論もあるでしょう。ただ、急に世界が変わりうるという仮定そのものは、世界に対するこれまでの私たちの当たり前を疑うものであり、大胆な世界像のシミュレーションに役立つのではないでしょうか。

〈こんな感じで使ってみよう〉

Ⓠ―世界が明日まったく違うものになるとしたら、どう備えればいいでしょうか？

Ⓐ―普段私たちは、経験則に基づいて生きています。その延長線上で、明日も世界は変わらず、同じような日常があると思い込んで日々を過ごしています。だから突然、自然災害や戦争、あるいはパンデミックが起こると、パニックに陥ってしまうのです。そこで私たちにできるのは、何が起こるかわからないという前提のもと、数学によってあらゆるシミュレーションを行い、可能な限りの意外な想定をしておくことくらいでしょう。それでもその想定を超えることが起こりうるわけですから、最終的には何が起こるかわからないという覚悟をすることだと思います。精神論に聞こえるかもしれませんが、少なくともその方がいざという時に冷静に対処できるはずです。

10 人間抜きで考えてみる
——ハーマンのOOO（トリプルオー）

〈解説〉

最近、人間ではなくモノを主体とする哲学が提唱されつつあります。たとえば、アメリカの哲学者グレアム・ハーマン（1968―）の唱えるオブジェクト指向存在論、通称「OOO」（トリプルオー）です。この場合のオブジェクトとは対象、つまりモノのことです。モノとモノの関係性で世の中を考える立場という意味です。

モノは人間とは無関係に存在し、またモノ同士で関係性を築いているというのがOOOの基本的な考え方になります。いったいモノだけの世界とはどのような世界なのでしょうか？

ハーマンによると、原則としてモノ同士もお互い無関係な状態にあるといいます。ところが、ひとたびある緊張関係に直面すると、モノ同士は何らかの意味を持つことになります。緊張関係といっても対立を意味するわけではなく、ある観点から見ると、モノ同士に関係性が生じるという程度の意味です。

とはいえ、モノ同士が対話するという非現実的な話ではありません。あくまでモノ同士の客観的な関係性を考えることができるというだけのことです。たとえば、ある空間に二つのモノが存在すると、どっちが大きいかとか、どっちがどっちにぶつかるかとかいった関係性が自ずと生じます。自然界で起こっているのはそういうことなのだと思います。

　これは従来の私たち人間を中心としたモノとモノとの関係性とは異なり、モノ同士がある一定の条件のもとに意味を持つという点でまったく新しい発想だといえます。そしてモノの存在を考えるうえで、これまでとは異なるものの見方を可能にする哲学だといえるでしょう。

〈こんな感じで使ってみよう〉

Ⓠ—もし〇〇〇の視点で台所を見直したら、どのように描写することができるでしょうか？

Ⓐ—普段はモノ同士も無関係なわけですから、深夜の台所のように、食器も食器戸棚も冷蔵庫もゴミ箱も皆静かに様子をうかがっている感じなのでしょう。しかし、ひとたびモノ同士の空間的関係に着目するとどうなるか？　たとえば、食器と食器戸棚の関係はどうでしょう？　乾燥した食器はやがて食器戸棚に入るという関係がありますし、食器戸棚にしてみれば食器を受け入れるという関係にあることになります。ここで大事なのは、人間が入れるのではなく、客観的に食器は食器戸棚に入るものだというとらえ方です。人間を抜きにして純粋にモノ同士の関係性を考えると、モノの新たな用途が見つかるのではないでしょうか。

11 皆異なる世界に棲んでいると考える

——ユクスキュルの環世界

〈解説〉

世界ははたして一つなのでしょうか？　生物学者でもある哲学者ヤーコプ・フォン・ユクスキュル（１８６４－１９４４）は、人間を含めた様々な生物が、一見同じ世界に棲んでいるようで、実は各々異なる世界に棲んでいると提唱しました。なぜなら、生物によって知覚する能力が異なるため、見える世界や、とらえることのできる世界が変わってくるからです。

同じ目を持っていても、たとえばハエの視覚は人間よりも解像度が粗いので、私たちとは違う世界を見ています。蜘蛛の巣が見えずにひっかかってしまうのは、そうした理由です。あるいはマダニに視覚はありませんが、酪酸《らくさん》の匂いを感じることで、世界を把握しています。だから獲物が通りかかったらうまくその上に落ちることができるのです。

人間の場合は、知覚能力は皆ほぼ同じかもしれませんが、そこに個人的経験が影響してくるので、やはり異なる世界を見ているといえるのではないでしょうか。同じ景色を見ても、違う感情を抱くのはそのためだと思います。

つまりユクスキュルによると、私たちの世界は決して客観的なものではなく、あくまで主観的なものなのです。彼はそれを「環世界」と呼びました。さらに環世界は、知覚によって受動的にとらえられる世界だけではなく、私たちがそこに能動的にかかわることで作り上げる世界が一緒になって構成されているといいます。

このように、世界は人の数だけあるということにとどまらず、一人ひとりがオーダーメイドで作り上げることができるものでもあるのです。

〈こんな感じで使ってみよう〉

Ⓠ—自分だけの環世界を描写してみてください。

Ⓐ—たとえば私の環世界を描写してみましょう。まず色でいうと私は黒が好きなので、常に黒が目に飛び込んできます。また、仕事でもよく言葉遊びをしているので、ダジャレのように同じ音の言葉を違う意味にとらえてしまうことが多いです。さらに、自然の変化が好きで、四季を感じようと努めているので、季節の変化に敏感です。つまり、私の棲んでいる世界は、黒がアクセントとなっていて、同音異義語に溢れていて、季節の微妙な変化が感じられる場所だといえます。同じ場所で同じ日常を過ごしていても、私と同じように世界を見ている人はそう多くはないと思います。これが環世界なのです。

12 知っていることを知らないと思ってみる

――ソクラテスの無知の知

〈解説〉

古代ギリシアの哲学者ソクラテス（紀元前470頃－紀元前399）は、哲学者になる以前、あることに気づきました。それは、ソフィストと呼ばれる賢者たちが、なんでも知っているふりをしているだけで、本当は何も知らないということでした。

そこで、何も知らないと自覚している分だけ、むしろ自分の方が優れているのではないかと悟ったのです。というのも、知ったかぶりをした時点で、人はもうそれ以上知る機会を逃してしまうからです。

一方で、無知であることを謙虚に認め、さらに知ろうとすれば、知識が増えてより賢くなるチャンスが開かれます。そうしてより真理に近づくことができるのです。これが「無知の知」という概念の意味するところです。

だからソクラテスは、知を探究し続けるべきだと説いたのです。そしてその営みを、知（ソフィア）を愛する（フィレイン）という意味のフィロソフィア、つまり哲学と呼んだわけです。

哲学は無知の知への気づきから始まったといっても過言ではありません。

このように、知っているつもりのことでも、あえて知らないと思って疑ってみることで初めて、新たな世界が開かれるといっていいでしょう。他者の発言に対して知ったかぶりするのをやめるだけでなく、自分自身にも謙虚になり、改めて調べたり、考えたりしてみてください。

〈こんな感じで使ってみよう〉

Ⓠ—誰でも知っているはずの足し算の意味を、あえて知らないと思って疑ってみてください。

Ⓐ—もし自分が足し算の意味を知らないとしたら、１＋１＝２である理屈がわからないということになります。なぜ１＋１が２になるのか？　そもそも何をもって１とするかですが、１を何らかの一つの塊ということだとすれば、その塊と同じ大きさのものがもう一つあれば、それが「２つある」という状態を指すというのはわかるような気はします。ただ、その塊の重さがそれぞれ違う場合も、本当に１＋１＝２といえるのでしょうか？　いや、その塊を構成する物質が違っていてもこの理屈が成り立つのかどうか。

面白いのは、こういう見方をすることで、物事を足せば単純に量が増えるとはいえなくなってしまう点です。こんなふうに、知っているはずのことをあえて疑うと、世界が違って見えてきます。

13 すべて偽物だと思ってみる

——プラトンのイデア

〈解説〉

古代ギリシアの哲学者プラトン（紀元前４２７－紀元前３４７）は、この世にあるすべてのものを偽物《にせもの》だと疑った人物です。すべては「イデア」の影に過ぎないといったのです。ではイデアとは何か？　もともとイデアとは物の姿や形を意味する言葉でした。ただ、形といっても私たちの目に見える形ではなく、心の目によって洞察される物事の真の姿、あるいは物事の原型のことを指しています。

　視覚や聴覚など感覚によってとらえるものはやがて消えていきます。しかし、イデアは永遠不滅の存在なのです。その、感覚によってはとらえることのできない物事の真の姿を知るにはどうすればいいのか。それはもう肉体を離れて、魂そのものによって見るよりほかありません。つまり、しっかりと考えるということです。

　こうしてプラトンは、イデアによって構成される永遠不滅の世界と、感覚によってとらえているだけの現実の世界を区分しました。前者がイデア界、後者が現象界です。たえず変化する現象界は、永遠に変わることのないイデア界を模範として存在しているわけです。
　このイデア説ゆえに、プラトンの世界観は理想主義的だといわれます。私たちはどうしても目の前の現実にとらわれがちですが、永遠に変わることのない物事の本質、本当のことを知りたければ、理想を追い求めないといけないのです。そのためには、今見ているすべては偽物かもしれないと疑うことが第一歩になります。

〈こんな感じで使ってみよう〉

Ⓠ―この世のすべては偽物かもしれないと疑ってみてください。

Ⓐ―この世のすべてが偽物だとすれば、どこか別の場所に本物があるということになります。しかもこの世ではなく、理想の世界にあるのだと。それによって、あらゆる物事を発展させるための視点が得られるのではないでしょうか。私たちは今ここにあるものに満足していますが、まだまだ理想の状態に変えることができるのです。少なくともそう思うだけでワクワクしてきます。プラトンがイデア論を掲げたのも、まさにそうして人間が理想を求めて生きるためだったといっていいでしょう。ぜひ身の回りにあるものをそうした目で見直してみてください。そのペンもその手帳もその靴も、すべて偽物です。言い換えると、いずれも理想の姿に変わりうる可能性があるということです。

14 すべてが一つの原理で成り立っていると仮定する

——ライプニッツのモナド

〈解説〉

この世界には物質的なものだけでなく、精神的なものも含まれます。それらすべてを構成する要素は何か？　ドイツの哲学者ゴットフリート・ライプニッツ（1646－1716）は、それを「モナド」と呼びました。モナドとは日本語では単子と訳されることもあり、ギリシア語の「ヘー・モナス」（単一者）に由来します。

では、モナドとはいったいどんな存在なのか？　ライプニッツによると、それは広がりも形もない単純な実体で、不生不滅の存在だといいます。またライプニッツは、「モナドには窓がない」ともいっています。何物も出入りしないということです。同時にモナドは、世界を映し出し続けるともいいます。なんとも不思議ですが、ここからわかるのは、モナドはすべて異なる単独で完結した存在でありながら、一つひとつが世界を映し出しているということです。

さらにライプニッツは、そんな単独でも完結している各々のモナドが相互作用によってつながり、宇宙を構成しているといいます。もっともそれはモナド同士がコミュニケーションするわけではなく、あくまで神が操作しているわけですが。いずれにしても一が全を、全が一を表出することによって、宇宙の調和が成立するのです。このように単独で完結している存在が、相互に影響し合うことで世界を構成するという発想こそ、モナドの特徴だといっていいでしょう。

　こうしたライプニッツの世界観は、現代のＳＮＳ社会に似ているように感じます。あらゆる点がつながっており、それが世界を構成しているというのですから。そして各々の点はすべて異なるけれども、一つひとつが世界を映し出す存在でもある。いや、モナドがＳＮＳに似ているのではなく、モナドが普遍的なモデルであるがゆえに、現代のＳＮＳ社会を含めたすべての現象を説明できるモデルになりうるということなのかもしれません。

〈こんな感じで使ってみよう〉

Ⓠ―この世の中の現象を何か一つ取り上げ、モナドを使って説明してみてください。

Ⓐ―たとえばグローバル社会は、異なる様々な国の人たちや人種が入り交じり、それでいて一人ひとりがそんなグローバル社会を象徴しているという特徴があります。いわば一人ひとりが世界を映し出しているわけです。そうした人たちがそれぞれつながりあって、この世界を構成しています。さらに世界を構成する人たちは全員、物質的存在であると同時に当然、精神的存在です。そうとらえると、まさにモナドの説明に合致するのではないでしょうか。

15 すべて偏見のせいだと考えてみる

――ベーコンのイドラ

〈解説〉

フランシス・ベーコン（１５６１－１６２６）は観察と実験を重んじたことから、イギリス経験論の祖と称される哲学者です。観察や実験を行うためには、まず偏見や先入観を取り除く必要があります。そうした偏見や先入観のことを彼は「イドラ」と呼び、これを四つに分類しています。

一つ目は「種族のイドラ」です。これは人間という種族に固有のイドラで、感情や感覚により知性が惑わされることによって生じます。人間はどうしても勘違いする生き物なのです。

二つ目は「洞窟のイドラ」です。これはあたかも狭い洞窟に考えが入り込んでしまったかのように、個人の限られた事情によって生じる思い込みです。その人の受けた教育、影響された人物、読んだ本などが原因で、狭い考えに入り込んでしまうわけです。

三つ目は「市場のイドラ」です。これは言語によって生じる思い込みです。あたかも市場で聞いたうわさ話を信じてしまうがごとく、人は言葉の持つ力に弱いものです。今なら市場というよりは、インターネット上を飛び交うSNSの情報などが典型例なのかもしれません。

四つ目は「劇場のイドラ」です。これは権威や伝統への盲従から生じる思い込みです。たとえば当時であれば演劇に強い影響を受けたように。現代なら映画やドラマでしょうか。

自分の考えはすべて何らかのイドラによるものだととらえてみることで初めて、自分の中のバイアスに気づくことができます。ぜひ四つのイドラでテストしてみてください。

〈こんな感じで使ってみよう〉

Ⓠ―自分の家族観は何らかのイドラによって形成されていると思って分析してみてください。

Ⓐ―このように改めて問われると、自分の家族観にもイドラが潜んでいることに気づきます。とりわけ自分が育ってきた家庭からの影響は洞窟のイドラだといっていいでしょう。私の場合だと争いが絶えない場所という印象です。また現代の市場のイドラ、インターネット上にも家族に関する情報は溢れています。そのせいで、最近は親ガチャなど家族に人生が左右される側面を実感しています。さらには劇場のイドラによって、家族を描いたドラマやアニメなどに影響を受けた可能性は大きいといえるのではないでしょうか。私も世代的にあの昭和のサザエさん一家が良くも悪くもモデルになっているような気がします。したがって、こうした偏見に過度に振り回されることなく、家族というものの本質をきちんととらえる必要があります。

16 すべては単なる知覚に過ぎないと考えてみる

——ヒュームの知覚の束

〈解説〉

デイヴィッド・ヒューム（１７１１－１７７６）はイギリス経験論の流れをくむ哲学者で、それゆえ人間の経験を重視します。とりわけ彼の場合、知覚に着目します。ヒュームによると、私たちは知覚に基づく印象で自己をとらえているというのです。たとえば、熱いとか、まぶしいとか、痛いとかいうふうに。

そこで人間をそんな無数の知覚の集合体に過ぎないとして、次のように表現しています。「人間とは、思いもよらない速さで次々と継起し、たえず変化し、動き続ける様々な『知覚の束』ないし、集合にほかならない」と。

つまり私たちは自分という実体があると思い込んでいますが、なんとそんなものはないのです。ヒュームにいわせるとそれは「心の中の劇場」に過ぎません。次々と何かが現れるための舞台があるだけなのです。さらに私たちは日頃、確固たる自己や素の自分がいて、それを様々な態度に装っているだけのように思いがちです。でも、その装っている自分も、その時々の本当の自分なのだといいます。

自分に実体がないとはなんとも過激な発想に思えますが、実は最近の脳神経科学によってそのことが実証されつつあるそうです。本当は意識というコントロールセンターなど存在せず、脳内では意識的あるいは無意識的に複数の操作が同時に行われているというのです。何かを見る私、何かを触る私、寒いと感じる私、そんな知覚の集合体。ヒュームのいうように、それが私たちの正体なのかもしれません。

〈こんな感じで使ってみよう〉

Ⓠ―「素の自分」とはどんな自分なのか考えてみてください。

Ⓐ―普段私たちは、素の自分というと、学校や仕事から帰り、うちで一人になって一息ついた時の姿を想像するのではないでしょうか。つまり、誰にも気を遣うことなく、繕うことのない自分の姿です。でも、ヒュームにいわせると、それもまた知覚の束であって、いつもの部屋の様子を見たり、好きな音楽を聴いたりすることによって形成されている自分の姿の一つに過ぎません。結局、どんな時も知覚に左右される私たちには、素の自分などというものはないということです。

17 頭じゃなくて身体が考えているとする

――メルロ＝ポンティの身体論

〈解説〉

フランスの哲学者モーリス・メルロ＝ポンティ（1908－1961）によると、身体というのは、自分にとって、自分でありかつ自分でない二面性があるといいます。これが身体の「両義性」と呼ばれるものにほかなりません。

両義性とは、二種類の異なるものが混ざっているという意味です。とりわけここでは主体と客体が混ざっているイメージです。あるいは自分と外部が混ざっているイメージといってもいいでしょう。そんなものはこの世にはそうそうありません。いくら身近にあっても、机とかパソコンは完全に自分の外部ですから。身体だけがこの世でそんな特殊な存在なわけです。たとえば、私たちは自分の身体に触れることができますが、その時触れている手と触れられている身体という二つの側面があると思います。それが一つの身体の中に混ざっているということです。

そう考えると、身体は私たちが必ずしも意識的に動かしているわけではなく、意識とは別に物事を感じたり、動いたりしている可能性もあるということです。現に頭より身体が先に反応したなどと思えることがありますが、それは本当にそうなのです。

　そこからメルロ＝ポンティは、身体の方が先に世界からメッセージを受け取り、私たちの意識にそれを伝えてくれていることもあると指摘します。つまり、頭ではなくて身体が考えているということです。実際、現代の生命科学では臓器や細胞が思考しているという説も出始めています。私たちもそろそろ頭でっかちを改めるべき時が来たのかもしれません。

〈こんな感じで使ってみよう〉

Ⓠ―どうすれば、悩み事を頭ではなく、身体で解決することができるでしょうか？

Ⓐ―普通は悩み事は頭で考えるものですよね。でも、なかなか解決しません。そこで身体を使って考えてみるとどうなるか。意識して身体を動かせば、頭で考えていることになってしまうので、むしろ身体に委ねる点がポイントです。ということは、身体をいつもとは違う環境に置くといいのではないでしょうか。そこで身体が感じるものを素直に受け止めるのです。たとえば、自然豊かな地や温泉などに行くと気分が落ち着くのは、実は身体が考えて悩みを解決してくれているからかもしれません。

18
言葉が世界を作っていると考えてみる
――ソシュールのシーニュ

〈解説〉

言葉というのは面白いものです。同じ音でも違う意味を持つ言葉がありますよね。同音異義語のように。たとえば、「カミ」などという言葉は、日本語だといくつも意味があります。神様なのか、紙切れなのか、上なのか、加味すなわち加えることなのか、口で嚙むことなのか。

このように、言葉には音と内容の二つの要素があります。だから「カミ」と聞いただけでは、意味が確定しません。この言葉の音と内容の関係を考えるうえで参考になるのが、スイスの言語学者フェルディナン・ド・ソシュール（１８５７－１９１３）の思想です。

ソシュールは、言葉を一つの「記号（シーニュ）」ととらえ、それを「記号表現（シニフィアン）」と「記号内容（シニフィエ）」とに分けて分析しました。シニフィアンは言葉の音の側面であり、シニフィエはその音の指す内容をいいます。

たとえば、先ほどの「kami」というシニフィアンに対しては、「神」や「紙」といったシニフィエが対応しています。

こんなふうに言葉は、シニフィアンによって音の領域が確定され、シニフィエによって内容の面が確定されます。結局ソシュールによると、言語記号によって初めて物事の観念は明らかになるということです。言い換えると、予《あらかじ》め世界があるのではなく、世界は言葉によって作られるということなのです。

〈こんな感じで使ってみよう〉

Ⓠ―現実の世界を視覚的イメージや実体ではなく、言葉を中心にとらえ直してください。

Ⓐ―たしかに現実の世界も言葉でとらえ直すことができます。たとえば、「ここは南国だ」といわれたら、別に南の島ではなくても、あたかもそこがリゾート地のような気がしてテンションが上がることがあります。あるいは、何かを「高級品だ」といわれると、何を基準にしているのかわからなくても、ほかのものと違うような気がしてくるから不思議です。つまり私たちの生きる世界は、現実とは別に言葉によって形作られている側面があるということです。

19 全体構造に目を向ける
——レヴィ＝ストロースの構造主義

〈解説〉

フランスの文化人類学者クロード・レヴィ＝ストロース（１９０８－２００９）は、ブラジルでフィールドワークを行っていました。その過程で「構造主義」を確立していきます。構造とは、要素と要素の間の関係からなる全体のことを指します。

簡単にいうと構造主義とは、物事の全体構造に目を向けることで、本質を探ろうとする思想です。「木を見て森を見ず」といわれるように、本質を見極めるには全体に目を向けることが大事だということです。

レヴィ＝ストロースがその構造に着目した例としてよく挙げられるのが、交叉《こうさ》イトコ婚（親同士が異性のきょうだい関係にあるイトコとの結婚）という風習です。未開の部族などに見られる、男性とその母方の交叉イトコの女性を結婚させる風習のことです。

このような風習は未開社会を象徴する非文明的なものであるかのようにとらえられていたのですが、レヴィ＝ストロースはこのシステムの全体構造をとらえることで、ある発見をしました。それは交叉イトコの場合、族外婚であって自分と同じ親族内の結婚にはならないということです。つまりこの関係にある男女が結婚する仕組みにしておけば、常に異なる家族集団間で人の交換が行われ、安定的に部族の存続を図ることができるというわけです。

このように一部の現象だけをとらえて未開だとみなされてきた風習は、全体構造を見てみると、意外にも高度なシステムを形成していることが判明しました。日頃私たちは、物事の一部だけを見て誤解をしているのではないでしょうか？　だから全体を見なければならないのです。

〈こんな感じで使ってみよう〉

Ⓠ―貧困家庭にどう手を差し伸べればいいのか考えてみてください。

Ⓐ―部分だけに着目すると、お金がないわけですから、つい金銭面での支援をすればいいかのように思ってしまいます。しかし、全体構造を見ればそう単純でないことがすぐにわかると思います。そもそも貧困であるということは、一時的にお金がないのではなく、本人が就労できない環境にある場合か、社会の雇用状況に問題がある場合がほとんどです。どちらにせよ、本人の背景、社会の背景を探っていかなければ、根本的な解決は望めないでしょう。

20 やっているつもりがやらされていないかと考えてみる

——フーコーのパノプティコン

〈解説〉

「パノプティコン」とは、功利主義の思想家ベンサムが考案した監獄施設のことです。「一望監視装置」などと訳されます。これを権力の本質を暴くために応用して論じたのがフランスの哲学者ミシェル・フーコー（１９２６－１９８４）でした。

パノプティコンの仕組みは単純で、中央に監視塔があって、周囲に円環状に独房が配置されています。ただ、ここにはある一つの工夫が凝らされています。監視塔から独房は見えるけれど、独房の側からは何も見えないようになっているのです。つまり、監視塔にいる看守はすべての囚人の動きを見られるのに対し、独房にいる囚人は看守が何をしているかわかりません。

ここには、監視する者とされる者の間の眼差しの不均衡が存在します。この不均衡こそが権力の象徴にほかなりません。一方が他方に完全に従うという構図になっているのです。パノプティコンでは、監視されている可能性を囚人が常に意識し、自動的に従順な「従属する主体」となります。

フーコーによると、近代以降この原理は、学校、工場、仕事場、病院、軍隊など、社会の様々な制度に拡散し、監獄と同様の効果を発揮しているといいます。もはや社会秩序の形成と維持にとって無視できない役割を果たしているのです。こうして私たちは、自分で何かをやっているつもりが、実は知らず知らずのうちにやらされているという状況へと追いやられてしまうのです。

〈こんな感じで使ってみよう〉

Ⓠ―普段主体的にやっていると思うことを一つ挙げ、実は権力によってやらされていないか確認してみてください。

Ⓐ―たとえば、多くの人は自分が結婚したくてしていると思います。でも、相手を愛するというだけなら、別に結婚しなくてもいいはずです。そもそも昔は現在のような婚姻制度はありませんでした。しかし権力の仕組みが整っていくと、社会秩序の維持や安定的な税収のために、国民を結婚させて家族のために働かせるのです。それはひいては国家のためということになります。世間では結婚は幸せであるかのように吹聴され、陰に陽に結婚が奨励されますが、それは権力を持つ側に都合がいいからともいえます。このように、結婚さえも実は権力によってさせられている側面があるととらえることは可能です。

21 「見る＝ある」ととらえてみる

――ガブリエルの新実在論

〈解説〉

ドイツの気鋭の哲学者マルクス・ガブリエル（１９８０－）は、「新実在論」と呼ばれる立場を掲げ、世界的に注目されています。彼が有名になったのは、『なぜ世界は存在しないのか』というショッキングなタイトルの一般書で、この新実在論をわかりやすく紹介したからです。新実在論とは、簡単にいうと私たちの認識イコール存在ととらえる立場をいいます。たとえば、普段私たちは、物事が存在するとは、私たちに見えているか、あるいは逆に見えていなくても実際にどこかに存在するかのいずれかだと考えています。ところが、ガブリエルのように、認識イコール存在ととらえると、見えているものがそのまま存在していることになります。

これは単に見えているというのとは違って、１００人が同じ山を見ているとした場合、１００人の認識イコール存在ですから、異なる山が１００個あることを意味するわけです。この発想が新実在論の面白いところです。

どうしてそのようなことになるかというと、物事の意味は、個々人の持つ「意味の場」で生み出されているからです。意味の場とは、それぞれが物事を認識し、解釈する能力のようなものです。だから人の数だけ「見る＝ある」になるわけです。

ちなみに、私たちが「この世界には」という場合の「世界」は、一般にあらゆる物事の大前提、いわばすべての物事を包み込む器のようなイメージで用いられています。したがって、世界が存在すると考えると、それ以上の前提である「意味の場」は理論上想定できないということになり、それゆえ新実在論によると世界は存在し得ないのです。

〈こんな感じで使ってみよう〉

Ⓠ―教室にいる人全員が同じ黒板を見ている状況を、新実在論でとらえるとどうなるでしょうか？

Ⓐ―認識イコール存在、つまり「見る＝ある」ととらえる新実在論からすると、たとえばクラスに30人の生徒がいれば、30個の黒板を見ていることになります。そして、それぞれの黒板の存在意義さえも変わってきます。ほとんどの生徒にとってはノートを取るための道具なのでしょうが、一部の生徒にとっては睡魔を誘う敵かもしれません。あるいは視力が気になる人には緑の黒板は目を休ませてくれるものになるでしょう。中には長年変わることのない黒板を、イノベーションの対象としてとらえている生徒だっているかもしれません。

22 不可能はないと考えてみる

――ヘーゲルの弁証法

〈解説〉

どんな物事にも問題が生じるものです。その際、私たちは、問題を切り捨てようとしてしまいがちです。それが一番楽だからです。でもそれでは発展は見込めません。近代ドイツの哲学者ゲオルク・ヴィルヘルム・フリードリヒ・ヘーゲル（1770－1831）の「弁証法」は、そうした時、むしろ問題を取り込んで発展させる論理です。

　具体的には、「正→反→合」、あるいはドイツ語で「テーゼ→アンチテーゼ→ジンテーゼ」などと表現されます。つまり、ある物事（テーゼ）に対して、それに矛盾する事柄、あるいは問題（アンチテーゼ）が存在するような場合に、これらを取り込んで、矛盾や問題を克服し、より完璧な発展した解決法（ジンテーゼ）を生み出すという意味です。

　この一連のプロセスを「止《し》揚《よう》する」、あるいはドイツ語で「アウフヘーベンする」などといいます。かつてある有名な政治家がこの言葉を使ったことで、アウフヘーベンが新語・流行語大賞にノミネートされたこともあります。

弁証法を使えば、どんな問題も解決可能で、いわばこの世に不可能はないということになります。言うは易しで実際には難しそうに思われるかもしれませんが、決してそんなことはありません。要は逆転の発想をすればいいのです。その問題があるからこそいいのだというふうに。マイナスをプラスに転じると考えればわかりやすいのではないでしょうか。ぜひイノベーションを起こすための思考法として活用してみてください。

〈こんな感じで使ってみよう〉

Ⓠ―マイナーなサービスで儲ける方法を考えてみてください。

Ⓐ―この場合、もとのメジャーなサービスが「正」で、マイナーであるという問題が「反」になります。こうした場合、そんなサービスはやめてしまうとか、なんとかしてメジャーにするなどの方法を考えがちです。でも、それではいずれも問題を切り捨てることになります。メジャーにするのは一見いい解決策のようですが、それだけが正しい解決策とは限りません。そこで弁証法的に逆転の発想で、マイナーだからこそ希少価値があると考えてみます。そうすれば、単価を上げるなどの方法で儲けるという解決策が出てきます。これこそ「合」であり、その方が発展性があるといえます。

23 根底に何か大きな原理があると考えてみる

――マルクスの下部構造

〈解説〉

ドイツの経済学者であり哲学者のカール・マルクス（1818－1883）は、科学的社会主義の生みの親として知られています。その根底には、経済活動の発展によって歴史が進展するという唯物史観、あるいは史的唯物論と呼ばれる彼独自の歴史観が横たわっています。

マルクスは、人間の思想や法、政治の制度などを「上部構造」、生産手段や生産活動などの経済活動を「下部構造」と呼んで区別し、上部構造は下部構造によって決まってくると主張しました。

一般に私たちは、思想や政治などの制度があって初めて、どういう経済活動をするかが決まってくるように思いがちですが、逆だというのです。むしろ経済活動が土台となって、それによってすべての社会制度の中身が決まってくるというわけです。

したがって、生産性が向上すると制度が追いつかなくなるので、その矛盾を原動力として、歴史が次の段階へと進展するといいます。具体的には、原始共産制、奴隷制、封建制、資本主義、社会主義、共産主義と展開していくというのがマルクスの分析です。

だからマルクスは、資本主義は革命によって倒され、生産力に応じた社会へと移行していかざるを得ないと主張しました。それこそが、能力に応じて働き、働きに応じて分配するという社会主義にほかなりません。

このように、世の中を動かす根底に、何か大きな原理があると考えてみると、より広い視野で世界をとらえることが可能になるかもしれません。

〈こんな感じで使ってみよう〉

Ⓠ―自分の属する組織を動かしている大きな原理を考えてみてください。

Ⓐ―これは厳密にいうとマルクスのいう上部構造、下部構造の話ではありませんが、この考え方を応用することはできると思います。つまり、自分の属する組織、たとえば会社だとしましょう。その会社の成長の背景には何があるのか？　この場合、会社の成長が上部構造だといえます。そしてよくよく分析してみると、その背景には創業以来のチャレンジ精神があるとします。とすれば、そのチャレンジ精神こそが下部構造です。社風とか企業風土と呼ばれるものが実はそれにあたるのかもしれません。

24 何かと何かの差異に過ぎないととらえてみる

——デリダの差延

〈解説〉

フランスの哲学者ジャック・デリダ（１９３０－２００４）は、差異に着目した哲学者です。その彼が作った概念の一つが「差《さ》延《えん》」です。フランス語の動詞différerに、「異なる」と「遅らせる」の二つの意味があることに着目し、これを名詞化して作った造語différanceの訳です。音は「差異」を意味するdifférenceと同じであるにもかかわらず、外見つまり綴りが異なっている点がポイントです。

デリダによると、あらゆる物事は、ほかの物事との差異によって成り立っています。ということは、物事の存在よりも先に、差異そのものが常に先立っていることになります。つまり、差異がないとすべては同じものになってしまうということです。たとえばリンゴとナシを区別するためには、そもそもこの二つが異なるという認定が予め必要だということです。これが差延の本質です。その意味で、差延とは、違いを生み出す原動力のようなものだといっていいでしょう。

この世に存在するものは、すべて常にほかのものとは違うから意味を持ちます。したがって、そのような違いを生み出す概念である差延こそが、物事の根源であるということになります。

この考えに基づくと、今ある物事の優劣も決して絶対的なものではなく、むしろ根源に立ち返れば、逆転さえしうる可能性があります。なぜなら、差異は単なる違いでそこに優劣の関係はなく、優劣は偶然が影響して決まったりすることもあるからです。こうしてデリダは、差延の概念によって西洋哲学が自明のものとしてきた前提を覆そうとしたのです。

〈こんな感じで使ってみよう〉

Ⓠ—男性優位社会は絶対のものかどうか差延の視点から検証してください。

Ⓐ—なぜ男性優位社会になっているかというと、そもそも男性と女性を区別したからです。その結果、生物学的により腕力のある男性が社会を支配してきたのです。ここで差延の概念を参照して、そもそも男女の区別を作る以前のところまでさかのぼると、別に人間としての違いなどないわけです。もちろん個体間の違いはあるでしょうが、少なくとも男女で区別する必然性はなくなります。いわば男女という概念を作るより以前の社会を想定するということです。そうすると、男性優位でも女性優位でもない、平等な社会であっても何ら問題ないと思えるはずです。

25 すべては決まっているととらえてみる

――ホッブズの自由意志論

〈解説〉

イギリスの哲学者トマス・ホッブズ（１５８８－１６７９）は、社会を、『旧約聖書』に登場する海の怪獣リヴァイアサンになぞらえたことで知られています。ただ、実はその一方で、現代に通ずる「自由意志論」のパイオニアといってもいい人物なのです。

自由意志論とは、必然性と自由意志は両立するか否かという議論のことです。いわば、すべては運命によって決まっているのか、それとも人間に自由意志はあるのかという話です。

ホッブズによると、そもそもこの世は必然性に支配されているといいます。でも、だからといって自由がないわけではないともいいます。なぜなら、自由とは「外的な障碍がないこと」だからです。つまり、外部からの邪魔が入らないということです。

外的な障碍がないというだけなら、自分で決めて何かをできるときは、常に自由があるということになります。たとえば、今私がここで急に歌を歌いたくなって、実際歌い出したとしましょう。それは運命で予め決まっていたかもしれませんが、私にはあずかり知らぬことです。

なぜなら、現に今自分で決めて歌を歌ったわけですし、その際何の障碍もなかったのですから。だからその意味では必然性と自由意志は両立するといえます。こんなふうにすべては決まっているけれど、私たちはその中で自由意志を行使しながら生きていると思うと、人生の見方が変わるのではないでしょうか。

ちなみに、ホッブズの健康法は歌を歌うことだったそうです。彼もそんなことを思いながら、歌を歌っていたのかもしれません。

〈こんな感じで使ってみよう〉

Ⓠ―この世のすべては決まっていると考えると、人生観はどう変わりますか？

Ⓐ―すべて決まっているといわれると、最初は嫌になるかもしれません。でも、自分ではどうすることもできないことがあるのはたしかです。だとするならば、そんな中で無理に抗うことなく、自分にできることをやっていこうという気持ちになれるのではないでしょうか。とらえ方によっては、この世はすべて決まっていると思っておいた方が、かえって気負うことなく、自由に生きることができるのかもしれません。それでもいつでも歌は歌えるのですから。

26 すべては偶然ととらえてみる

——九鬼周造の偶然性

〈解説〉

日本の哲学者、九鬼周造（１８８８－１９４１）は、「偶然性」の意味について考えました。彼によると、偶然とは必ず起こるとは限らないものであり、もしかしたら存在しなかったかもしれないということです。だから偶然とは、単に物事の起きる回数を扱うに過ぎない確率論とはまったく異なります。

九鬼は、偶然性を定言的偶然、仮説的偶然、離接的偶然の三つに分類します。

わかりやすくいうと、定言的偶然とは、法則に反する例外的事態のことです。仮説的偶然とは、本来出逢うはずのない二つのものがたまたま出逢ってしまったという事態です。さらに離接的偶然とは、存在しないことさえありうるものが、たまたま存在したという事態です。

ただ、たまたまかもしれませんが、そのことが無数の可能性の中から生じたのは事実です。だからこそ九鬼は、今手にしているその偶然性に運命愛が生じるといいます。この偶然は運命だから愛そうということです。

実はこの考え方は、九鬼自身の人生と深く関係しています。九鬼の母親は、九鬼を懐妊中に駆け落ちしてしまいました。そのため九鬼には二人の父親がいました。彼はその偶然与えられた複雑な親子関係に悩み続けたようです。しかし、最終的にはそんな運命を受け入れました。自分自身の存在を肯定するために。その意味で偶然性の問題とは、あらゆる人にとって今ある自分の存在を肯定するための論理なのかもしれません。

〈こんな感じで使ってみよう〉

Ⓠ—今すでに自分が手にしているものを、偶然の存在ととらえ直してみてください。

Ⓐ—普段私たちは、身の回りにあるものや、自分が持っているものを偶然の存在だとは思っていません。たとえば、自分のカバンは自分が購入したからここにあると思っているでしょう。でもよく考えてみれば、たくさん作られたカバンの中からなぜそのカバンが自分の手元にやってきたのか？　それはもう偶然というよりほかありません。どうですか？　急にそのカバンが愛しく思えてきませんか？　これが運命愛です。

27 すべては知のトレンドの仕業と考えてみる
――フーコーのエピステーメー

〈解説〉

この世の知のトレンドはどのようにして変わっていくのか？　フランスの哲学者ミシェル・フーコー（1926－1984）は、この問題について考古学のようにアプローチし、その結果「エピステーメー」という概念を提起しました。

エピステーメーとは、もともとはギリシア語で、「知識」を指す言葉です。フーコーはそれを特定の時代や社会における知のあり方を表す語として用いました。つまり、個々の知識ではなく、時代ごとのあらゆる学問に共通する知の土台のようなものとして用いたのです。

たしかに同じ対象の研究でも、時代によってまったく視点が異なっているように感じます。個々の学問はそんな知の土台に影響を受けて形成されるものなのです。具体的にフーコーは、四つの時代のエピステーメーを区分しています。

16世紀ルネサンスのエピステーメー、17～18世紀の古典主義のエピステーメー、19世紀の近代人間主義のエピステーメー、今後現れるであろうエピステーメーの四つです。

もしかしたら四つ目のエピステーメーは、インターネットやＡＩに象徴されるようなテクノロジーに影響を受けた知を指しているのかもしれません。

このように、知の土台としてのエピステーメーが変化すれば、それにつれて新しいエピステーメーに規定された新たな学問が築かれていきます。それが支配的になると、知のトレンドが変化したということになるのでしょう。

〈こんな感じで使ってみよう〉

Ⓠ―今ある学問を一つ挙げて、それをエピステーメーという視点で見直してみてください。

Ⓐ―たとえば、今私たちは学校で歴史を学びます。それは過去にあった出来事を年表の上に位置づけて、順番に覚えていく作業だといっていいでしょう。そしてその土台になる歴史学は、過去の文献などをもとに事実を確認する営みです。しかし、今後ますますデータによる推測が精緻化していけば、歴史学もまた実際にあったことの検証ではなく、データによる推測を土台にするようになるかもしれません。もしこんなことがあればどうなっていただろうかというような、シミュレーションを主とする学問のように。あるいはタイムマシンが発明されれば、歴史学は実際の現場にフィールド調査に行く学問になるかもしれません。

28 世界は自分が変えられると考えてみる

——サルトルの実存主義

〈解説〉

フランスの哲学者ジャン＝ポール・サルトル（１９０５－１９８０）によると、人間とは決して予め決められた本質に支配された存在ではなく、自分自身で切り開いていく実存的存在だといいます。そのことを彼は、「実存は本質に先立つ」と表現しました。実存というのは現在進行形の自分の存在のことで、本質というのは予め決められた運命みたいなものだと思ってもらえばいいでしょう。

サルトルはそれをペーパー・ナイフを例に説明しています。ペーパー・ナイフは、予め用途が定められています。だからこの場合、ペーパー・ナイフの本質は実存に先立っています。存在が限定されているといってもいいでしょう。いわば予め運命が決まっているわけです。

これに対して人間の場合は、「実存が本質に先立つ」わけです。つまり、人間は最初はなんでもない存在ですが、次から次にその役目が変化していきます。しかも、その役目は自ら作っていくことができます。だから人間の場合は、運命を変えられるのです。

もちろん、この世の中には変えられないこともあります。でも、少なくとも変えようとチャレンジすることは可能です。目の前に立ちふさがる壁があっても、その壁にぶつかっていき、よじ登ろうとすることはできるはずです。その結果、何も起こらないとは、誰もいいきれないでしょう。そんな積極的な態度を、サルトルは「アンガージュマン」と呼んでいます。実存的な存在である人間は、アンガージュマンによって世界を変えることができるのです。

〈こんな感じで使ってみよう〉

Ⓠ—戦争がなくなることのないこの世界は、変えられないのでしょうか?

Ⓐ—たしかに戦争はいつまでたってもなくなりません。一つ終わってもまた、地球上のどこかで新たな戦争が始まります。だから一人の人間がそんな世界を変えるのは不可能にも思えますが、サルトルは果敢に反戦運動にかかわりました。それはまさに壁にぶつかっていくアンガージュマンの実践であったといっていいでしょう。私たちもひるむことなく自分なりに反戦運動にかかわることで初めて、世界はほんの少しずつ変わっていくのだと思います。戦争はなくならないかもしれませんが、終わらない戦争もないはずですから。

29 この世はすべて同じ一つのものととらえてみる

——荘子の万物斉同

〈解説〉

中国の思想家、荘子（紀元前３６９頃－紀元前２８６頃）によると、この世はすべて同じ一つのものに過ぎないといいます。これは「万物斉同《ばんぶつせいどう》」と呼ばれる思想です。そんなことをいわれても、すべての物事は異なると思うかもしれません。しかし荘子にいわせると、それは私たちが同じ物事の違う側面を見ているだけなのです。

これを説明するために、荘子が例に挙げているのが朝三暮四の故事です。木の実を朝三つ夕方四つもらうのも、朝四つ夕方三つもらうのも合計は同じです。でも、サルにはそれがわからないので、朝三つだと怒るという故事です。こうした愚かなことが起こるのは、物事を分析するからだといいます。そして分析とは人為なので、すべての人為を排して、無為を求めよと主張するのです。

荘子は老子を開祖とする道家《どうか》の思想家で、老子と同じく無為自然を説き、人為を否定します。老子の思想と合わせて老荘思想と称されますが、荘子の思想の方がより徹底した達観主義だといえます。なぜなら、すべての物事は一つであり、それは人生についても当てはまると考えているからです。

人生が一つしかない、すなわち選択肢がないとすると、運命肯定論につながります。すべては決まっているということです。それを受け入れて抗うことなく生きる。だから達観主義なのです。

〈こんな感じで使ってみよう〉

Ⓠ―人生に選択肢などないと考えてみてください。

Ⓐ―私たちの人生は選択に溢れています。毎日の生活からしてそうです。朝何を食べるかから始まり、何を着ていくか、どの順番で仕事をするか、誰と会うか、何時に寝るか……。おそらく毎日無数の選択をしているはずです。そして人生の岐路においてはもっと重要な選択をしていることと思います。進学、就職、結婚等々。でも、万物斉同の発想で考えれば、実はそんな選択肢は存在しなかったのです。今選んだ道しかなかったということです。そう考えれば、もう人生において後悔することはなくなると思います。

30 すべてを強度というモノサシでとらえてみる

——ドゥルーズの強度

〈解説〉

「強度」とは、硬さや耐久性など一般には物事の強さの度合いを指します。フランスの哲学者ジル・ドゥルーズ（１９２５－１９９５）は、それを哲学用語として用いました。そのため「内包性」などとも訳されたりします。というのも、哲学的には量的差異でもなければ質的差異でもない、もっと根源的な差異を意味しており、かつその差異を生み出す力自体を意味するからです。

たとえば個体が固有のものとなるには、そうした強度が必要だといいます。ドゥルーズはここで卵の胚を例に挙げました。卵の中で胚が形成される過程で、この強度が作用しているというのです。まさに生み出す力です。

人間に当てはめると、一人ひとりの個性を生み出す根源となる力のようなものではないでしょうか。したがって、人間を測るモノサシとしてよく個性という言葉を使いますが、実は個性とはそうした力によって生み出された現象に過ぎず、現象である限り表面的なものに過ぎません。つまり、本当の自分を知るには、むしろ自分の中にある強度にこそ着目する必要があるわけです。それこそが自分と他者を異なる存在として肯定するための力だといっていいでしょう。

結局ドゥルーズが主張する強度とは、物事の差異を肯定的に評価するための概念であるということができるように思います。

〈こんな感じで使ってみよう〉

Ⓠ―人の思いを単なる表面的なものではなく、強度で測ってみてください。

Ⓐ―人の思いを測る時、熱意があるかどうかに着目することが多いと思います。この熱意というのは、その人のやる気とか動機を指しています。具体的には、言葉、顔つき、声などといった表面的な部分で判断することになります。ただ、ここでもう一歩踏み込んで強度で測るとすると、熱意の根源にある、いわばその熱意を生み出すことになった根本的な部分への着目が必要なのだと思います。おそらくそれは、やる気や動機を生み出すことになった背景や原体験への着目ということになるでしょう。なぜそんなにこだわるのかという部分への着目です。そこまで着目して初めて、その人の本当の気持ちがわかるのではないでしょうか。人を見るとはそういうことなのだと思います。

31 異質なものに価値を見出す

——バタイユの聖なるもの

〈解説〉

私たちはなかなか異質なものに目を向けようとしません。そこにはまだ知らない価値があるにもかかわらず。その点に目を付けたのが、フランスの思想家ジョルジュ・バタイユ（１８９７－１９６２）でした。彼の「聖なるもの」という考え方は、まさに異質な価値そのものです。バタイユのいう聖なるものとは、人を畏怖させると同時に、また人を引き付けるものでもあります。彼の挙げる例でいうと、不気味な挿絵や骸骨寺の地下聖堂などのように。いわゆるグロテスクなものとして、一般には好まれない存在です。

こうした存在は、通常のものとは異なっているがゆえに、畏怖を生じさせるのでしょう。しかし同時に、独自の魅力を覚えさせるものでもあります。聖なるものとは、それを見たり聞いたりする主体の中に生じる感覚のことです。したがって、そこには善悪や優劣があるわけではなく、ただ純粋に、通常のものとは異なるもう一つの価値というだけのことです。

だとするならば、そのもう一つの価値に目を向けるとは、これまで気づいていなかった世界の面白さを知ることでもあるので、むしろ望ましいとすらいえるでしょう。

グロテスクなものから目を背けている時、私たちは何か大切なものを知る機会を失っている事実に気づかねばなりません。この世界は光だけで形成されているわけではないのですから。闇にも真理があるはずです。バタイユの思想は、全体としてそうした世界の闇に光を当てる営みだといえます。

〈こんな感じで使ってみよう〉

Ⓠ―自分が避けてきたグロテスクなものに価値を見出してみてください。

Ⓐ―たとえば私が一番避けているグロテスクなものは、死体です。これは虫から動物、そして人間まですべてを含みます。とりわけ人間の死体を目にする機会は、日本では当たり前ではありません。これに対して、ガンジス河の河畔など公共の場で火葬を行ったりするインドでは、死体を見る機会が比較的多いといいます。そのおかげで死が身近に感じられるとも聞きます。つまり、死体には死を意識し、だからこそ生きる意味を考えるための価値があるのです。本当は日本でももっと死体を目にする機会があってもいいのかもしれません。

32 視点を分散させる

——ナナイの分散された注意

〈解説〉

ハンガリー出身の哲学者ベンス・ナナイ（１９７４－）によると、芸術を見る時私たちには特別な注意が求められるといいます。それは、作品に集中しつつも、その中で視点を様々なところに分散させるということです。たとえば、黒い背景に青いターバンを巻いた男がいるだけの絵を見たとしましょう。これは「青い帽子の男」という実際にある絵です。この場合、普通に見ると青いターバンだけに目がいきます。

でもそれは青という色を見ているだけであって、芸術作品そのものを見ているとはいえません。芸術を見るという美的経験をするには、視点を様々なところに分散させ、もっとたくさんの発見をする必要があります。青いターバンそれ自体にも陰影があり、顔の色や背景とのコントラストもあると思います。あるいは、男の視線の向きとか、男の指で作られた形とか。そのように見てみると、この絵の意味がもっと広がってくるはずです。

ナナイがいいたかったのは、そうやって対象に集中しつつ、「分散された注意」を向けることで、世界が別様《べつよう》に見えてくるということだったのです。当たり前だと思っているものに対して、分散された注意を向けることで初めて、その当たり前のものは別の姿として立ち現れるということです。

〈こんな感じで使ってみよう〉

Ⓠ―興味のない雑談に分散された注意を向けることで、何か意義を見出してください。

Ⓐ―実はこれは以前私がテレビ番組で悩み相談を受けた内容です。雑談に興味を持てないという女性に対し、このナナイの哲学を紹介し、実践してもらいました。つまり、どんな雑談であっても、たとえその中心になっている話題に興味がなくても、どこかに自分が面白いと思えることや、参考になる話があるものです。そこにいかに注意を向けるかで、耳の傾け方が変わってきます。どんな物事にも、複数の要素が含まれていますから、何か意義を見出すことは可能なはずです。

33 自分の事情を脇に置いてみる

――ロールズの無知のヴェール

〈解説〉

アメリカの政治哲学者ジョン・ロールズ（1921－2002）は、その著書『正義論』でよく知られています。彼のいう正義とは、いかにすれば公正な分配ができるかを問うものです。そうすることで、一般的には相容れないとされている自由と平等を両立させようとしたのです。

問題は、いくら公正な分配をしようとしても、人はつい自分だけ得をするように考えてしまうことです。誰だって自分や自分に関係ある人の方が大事ですから。ただ、皆がそう思ってしまうと、公正な分配など実現不可能になってしまいます。実際、だから社会はいつまでたっても不公正なままなのです。

そこでロールズが提案するのが、「無知のヴェール」という思考実験です。ヴェールをかぶることによって、あたかも自分自身の情報が遮断されてしまう状態を作りだすというものです。つまり、自分のことはいったん脇に置くということです。こういう前提を設けることで、人は皆等しく合理的で、同じ状況に置かれているという状態を作りだせるようになります。

ロールズはこの状態を「原初状態」と呼びます。公正な合意を得るための初期状態だと思ってもらえばいいでしょう。無知のヴェールをまとうことで原初状態に置かれた人は、ようやく他人のことについても自分と同じようにとらえることができるようになり、真の正義とは何かを判断する前提が整います。その結果、普通は最も恵まれない人を助ける発想になるはずなので、格差が是正され、公正としての正義が実現されるという理屈です。

〈こんな感じで使ってみよう〉

Ⓠ―自分の事情を脇に置いて、世の中を見直してみてください。

Ⓐ―私たちはまず自分のことを考えます。そしてよほどのことがない限り、他者の苦境に目を向けようとしません。でも、無知のヴェールの発想で、もし自分のことを度外視したらどうなるでしょう？　自分にお金がないとか、時間的余裕がないとか、不幸だとか思わなかったら、きっとこの世の格差や、困っている人に目がいくような気がします。そして世の中の不公平をなくすために行動を起こすのではないでしょうか？

34 すべては可能性の一つに過ぎないととらえてみる

――アームストロングの可能世界

〈解説〉

　哲学の分野には、「可能世界」という理論があります。文字通り、私たちの住むこの現実の世界を、無数の可能世界のうちの一つに過ぎないととらえる考え方です。たとえばオーストラリアの哲学者デイヴィッド・アームストロング（１９２６－２０１４）は、その理屈を要素の組み合わせで説明しています。

　アームストロングは世界を格子《こうし》のようにとらえています。個別者と性質を各々軸としてとった格子を思い浮かべてみてください。皆さんの目の前にあるコップは、ガラス製で液体を入れることができます。これはコップという個別者と、ガラス製であるとか、液体を入れられるといった性質との組み合わせとしてとらえているともいえます。

　このように、あらゆる物事は、個別者と性質の組み合わせとしてこの世に存在しているわけです。その集合体が、私たちの知る現実の世界なのです。だから、一つでも新しい組み合わせが発見されたり、生み出されたりすると、世界は変わってしまいます。現に、新しい発見がなされるたびに、世界は変わってきました。つまり、常に世界は変化する可能性があるということなのです。

コップもまた、まったく別の素材やまったく未知の性質と組み合わせることが可能です。空飛ぶコップだってどこかにあるかもしれません。その組み合わせを私たちがまだ知らないだけなのです。

〈こんな感じで使ってみよう〉

Ⓠ―人間の能力について何か可能世界を想像してみてください。

Ⓐ―たとえば、普段私たちは瞬間移動できるとは思っていません。でも、それは人間という個別者の要素として、瞬間移動がありうると思っていないだけのことです。何かの条件がそろえば、瞬間移動できる可能性はゼロではないはずです。まだその条件が知られていないだけのことです。そんな馬鹿なと思われるかもしれませんが、量子力学における量子テレポーテーションなどの発見は、その可能性を示唆しています。だから可能世界論は決してSFではなく、来るべき現実のための哲学なのです。

35 まとめない方がいいと考えてみる

——アドルノの否定弁証法

〈解説〉

私たち人間には、なんでもまとめようとしてしまう習性があります。その方が物事はうまくいくし、また落ち着くのでしょう。バラバラだと不安ですから。ところが、ドイツの哲学者テオドール・アドルノ（１９０３－１９６９）によると、それは必ずしもいいことではありません。

彼の唱える「否定弁証法」は、まさにまとめないための論理だといっていいでしょう。そもそもアドルノは、人間が異質なものをつい一つにまとめてしまう傾向、あるいは特殊なものを普遍的な性質に吸収してしまう傾向を「同一化原理」と呼んで批判しています。なぜなら時にそれは暴力へと化してしまうからです。

だからこそ非同一的なものを求めるべきだというのです。では、具体的にどうすれば同一化の暴力を避けることができるのでしょうか？　アドルノはコンステラツィオンという概念を掲げました。星座を意味するドイツ語です。星座のように全体としてまとまりを保ちつつも、決して個々の要素が全体に取り込まれてしまわない状態を保てばいいということです。

これなら一見一つになっているように映っても、個々の要素は実際にはバラバラなので、両方のいい部分を取ることが可能になります。非同一的なものを求めるというのは、そうした個々の要素、人間でいえば個性のようなものを押し殺してしまわない状態を追求するということにほかなりません。ナチスの全体主義に苦しめられたアドルノらしい発想といえます。

〈こんな感じで使ってみよう〉

Ⓠ—会社の中で組織に染まってしまうことなく活躍する方法を考えてみてください。

Ⓐ—組織に属している以上は、どうしても一つにまとまらざるを得ませんが、それと組織に染まってしまうというのは別の話です。組織はどうしても同一であることを求める傾向にあります。そんな中であえて組織に染まらないためには、非同一化を意識して個性を磨き、自分で防衛していくのが一番です。誰でもいい交換可能な社員ではなく、一人ひとりが唯一無二のかけがえのない存在になることは、組織の側にとっても理想です。

36 思考は節約できると考えてみる

——オッカムの剃刀

〈解説〉

思考の節約とはどういう意味でしょうか？　実は私たちは、日頃結構無駄な思考をしています。そのことを指摘したのが、中世の哲学者ウィリアム・オッカム（１２８５－１３４７）です。これは思考節約の原理、あるいは「オッカムの剃刀《かみそり》」と呼ばれます。

ある事柄を説明しうる根拠や原因を探究する際、その事柄が必然的に要求する以上に、説明のための根拠や原因を立ててはいけないとする原理のことです。簡単にいうと、何かを説明する際に、必要以上に多くのことを仮定してはいけないということです。無駄な思考をすることになりますから。

当時オッカムは、キリスト教の信仰を明確に理論づけようとしていました。そのためには、曖昧な言葉遣いはむしろ余分なものだと考えました。そこで、不明確な言語や不完全な論理が生み出す根拠や原因を取り除かなければならないと主張したのです。まるで不要な部分を剃刀でそぎ落とすようなので、オッカムの剃刀と呼ばれるわけです。

私たちは、正確を期すためについ様々な仮定をはさみ過ぎます。「もちろん〜の場合は」というふうに。そんな余計な場合分けのせいで、話が複雑になり、挙句大事なことが明確に伝わらなくなってしまいます。それでは本末転倒ですよね。

だから思考の節約とは、楽をしたりケチったりすることではなく、本質を突くためにこそ必要な行為なのです。

〈こんな感じで使ってみよう〉

Ⓠ—日頃思考の無駄をしている部分を考えてみてください。

Ⓐ—普段思考に無駄があるかどうかなどということは、あまり考えないと思います。でも、オッカムの剃刀を意識して考えてみると、たしかに無駄が多いことに気がつきます。特に何かを伝えようとする場合に、どうしても相手に気を遣ってしまって、予め場合分けをしがちです。まだ何もいわれていないのに、「もし嫌だったら」とか「もし違うのがいい場合は」みたいな余計な先回りをしていることがあるのではないでしょうか？　もっとストレートに結論だけ伝えればいいのです。後から補足すればいいのですから。

37 無限だととらえてみる
——アナクシマンドロスの宇宙論

〈解説〉

宇宙ビジネスの時代ですが、そう簡単に宇宙に行けない私たち一般人にはピンとこないと思います。この広大な宇宙をどうとらえればいいのか？　そこで参考にしたいのが、古代ギリシアの哲学者アナクシマンドロス（紀元前６１０頃－紀元前５４６）の思想です。

古代ギリシアの哲学者たちは、早くから宇宙について考察を始めていました。あの時代には誰も宇宙に行ったことがないわけですから、まずは宇宙という存在をどうとらえるかという根本的なところから議論をしています。

そんな哲学者の一人であったアナクシマンドロスは、万物の根源は何かというところから考えました。そしてそれを無限ととらえたのです。すべては無限から生じたのだと。無限という概念は、あらゆる限定を否定することで初めて成り立ちます。

実はこれによって万物を全体としてとらえることが可能になりました。なぜなら、宇宙は広大過ぎて、星の数も数えきれません。そもそも星というのは、数えきれないものを表す時に使われる比喩です。「星の数ほどある」というように。一つずつ数えていくのではなく、むしろそんな一つひとつのものではないと否定することで、かえって全体をイメージすることが可能になるわけです。宇宙とは、無限の世界であると。

ちなみにアナクシマンドロスは、そうした考えに基づき、実際に天体観測も行い、高度な「宇宙論」を展開していました。宇宙の構造さえも数学的比率によって解明しようと試みていたのです。それが可能になったのは、無限の概念を使って宇宙を全体としてとらえることに成功したからにほかなりません。

〈こんな感じで使ってみよう〉

Ⓠ—身の回りの数えきれないものを無限ととらえてみてください。

Ⓐ—たとえば、自分がやれることはどうでしょう？　自分がやれることは限られているように思いますが、大げさなことではなく、細かいことまで含めると、数えきれないほどあるのではないでしょうか。掃除したことのない場所を掃除するとか、新しい筋トレをやってみるとか、知らないジャンルの本を読むとか、食べたことのないものを食べるとか……。もう無数にあります。逆にいうと、自分にやれることは無限だということです。そう思うと、急に人生が面白くなってきませんか？

38 告白を思考としてとらえてみる

——アウグスティヌスのコンティネンティア

〈解説〉

告白が思考だというのは、意外かもしれません。ただ、古代ローマの哲学者アウグスティヌス（３５４－４３０）は、その名もずばり『告白』という著書を著し、見事にそれを思考へと発展させています。その中で自分の正直な気持ちを告白し、また告白という行為自体の意義についても論じています。

もっとも、ここでいう告白は、過去の自分の過ちを懺悔《ざんげ》するようなものではありません。そうではなく、自分は過去においていかなる人間だったのか、現在においていかなる人間なのか、ありのままに打ち明けるものです。そうして心の整理をする行為だといっていいでしょう。

アウグスティヌスによると、心は決して確固たるものではなく、集中と分散の間を行き来する不安定な存在です。それゆえ、心を落ち着けるために、告白という形で整理をしなければなりません。告白の目的はそこにあります。その際、彼が「慎み（コンティネンティア）」と呼ぶ心の調整機能を用いて、心の中心に立ち返ることが必要です。単に反省するのではなく、それは仕方なかったと、自分を擁護することも大切です。そうしてようやく心のバランスが取れるようになります。

　面白いのは、告白といっても必ずしも相手が必要なわけではない点です。キリスト教徒である必要さえありません。だから告白は思考たりうるのです。まずは自分の心の中心に立ち返り、自分自身に対して過去と現在の自分の状態をありのままに告白してみることをお勧めします。

〈こんな感じで使ってみよう〉

Ⓠ—自分の人生を振り返り、告白してみてください。

Ⓐ—たとえば私は人生においてたくさんのことを諦めてきました。本当に弱い人間です。でも、ここであえて「慎み（コンティネンティア）」を機能させて自分を擁護してみます。そうすると、自分が物事を諦めざるを得なかったのにもちゃんと理由があったことに気づきます。それには金銭的な理由もありましたし、何より人間ですから完璧を求めるわけにはいきません。そんなふうに考えてみると、ただ自己肯定感を下げるのではなく、もっと冷静に自分自身を見つめることができるようになります。

39 境界線は自分で引く

——ウィリアムソンの砂山のパラドックス

〈解説〉

この世には境界線という言葉があります。曖昧な現実に引かれた線のことです。それによって、物事は分類されていきます。いったいその線はどういう基準で引かれるのでしょうか?哲学の世界には「砂山のパラドックス」と呼ばれる思考実験があります。砂山から砂を一粒ずつ取り除いていった時、いったいそれが砂山ではなくなるのは何粒目からかという話です。よく考えてみれば砂山の基準など存在しないので、たった一粒でも砂山といえば砂山です。しかし一般的には一粒の砂を砂山とは呼びませんよね。同じことは禿《は》げ頭にも当てはまります。「毛が何本以下になったら禿げ」などという話は聞いたことがありません。つまりここからわかるのは、どんな物事も結局は曖昧で、曖昧さから逃れることはできないということです。

この曖昧さの問題を解決するのに参考になるのが、ティモシー・ウィリアムソン（１９５５－）の哲学です。彼が提案するのは、あえてどこかに境界線を引くということです。そうすれば、何粒目からは砂山、毛が何本以下になってしまえば禿げと決められるからです。もし他者から異議を投げかけられたら、自分が決めた境界に新たな名前をつければいいだけだといいます。禿げでいえば、「ちょい禿げ」という名称などはどうかと提案さえしています。これでもう誰も文句はいえなくなります。これまで存在しなかったまったく新しい概念なのですから。
境界線は誰かが引いてくれるのではありません。自分が引くのです。

〈こんな感じで使ってみよう〉

Ⓠ―身の回りにある曖昧な事柄に、あえて境界線を引いてください。

Ⓐ―たとえば、友情と愛情の境界線はどこにあるのでしょうか？　互いにすごく気になるし、周囲からも付き合っているんじゃないかと思われるような関係は、友情でしょうか、愛情でしょうか？　本人たちに恋愛のつもりはないし、性的な関係もありません。ただの親しい友達です。とはいえ、一緒に食事にも行けば、悩みを相談し合ったり、何より一緒にいる時に一番心が落ち着きます。私があえてこの関係に境界線を引いて、友情か愛情のどちらになるか決めるとするなら、やはり愛情の側でしょう。そしてそこには、普通の恋愛ではなく「無意識の恋愛」という名前をつけたいと思います。

40 価値観の違いは乗り越えられると信じる

——ガダマーの地平の融合

〈解説〉

価値観の違いというのはどうしようもないと思いがちです。でも、もしかしたら乗り越えられる可能性があります。そのために参照したいのが、ドイツの哲学者ハンス＝ゲオルク・ガダマー（１９００－２００２）の解釈学です。

解釈学というのは、文章を解釈する際の考え方なのですが、その中でも「地平の融合」という概念は、あらゆる対立に応用可能です。ガダマーによると、人はそれぞれの先入観や価値観のもとに物事を解釈しています。その自分の価値観を地平と表現するのです。いわば自分の立ち位置のようなイメージです。したがって、お互いが理解し合うには、その地平を融合させる必要があります。

そうして初めてお互いにとっての第三の地平が成立し、分かち合うことが可能になるといいます。問題は、どうすれば地平を融合させることができるかです。そこでガダマーが重視するのは、歴史性です。

人間は過去から現在を経て未来へと連なる時間の中に存在します。だとするなら、今だけにとらわれるのではなく、過去を理解し、未来のことも考えなければいけません。そういう態度で臨めば、自分の地平が決して固定されたものではないことに気づくのではないでしょうか？　そんな開かれた態度で互いに話し合うことができた時、ようやく地平の融合が可能になります。こうして価値観の違いを乗り越えることが可能になるのです。もちろんそのためには、わかり合えるまで深く話し合う必要があることはいうまでもありません。

〈こんな感じで使ってみよう〉

Ⓠ—絶対わかり合えないと思う価値観を挙げ、そのうえで地平の融合を図ってみてください。

Ⓐ—たとえば、一般に差別をする人とはわかり合えないでしょう。でも、あえて地平の融合で乗り越えを図ってみたいと思います。ここで歴史性を持ち出すわけですが、何かを差別する人も同じ人間です。差別は理解できませんが、その人がなぜそうなったかといういきさつは理解できるはずです。きっと何かを差別するきっかけになった過去があると思うのです。そこに目を向ければ、差別の事実自体は許せなくても、その人自身がなぜ差別をするのかは理解できるかもしれません。これはわかり合えない価値観を乗り越えるための第一歩といえるのではないでしょうか？

41 利害は共通だと考えてみる

——ガルトゥングの超越法

〈解説〉

争いはなくならない。私たちはそう思い込んでいます。でも、平和学の父として知られるノルウェーの社会学者ヨハン・ガルトゥング（１９３０－２０２４）によると、それは間違いだといいます。彼は戦争や紛争をなくすために、まず暴力という概念の再定義から始めました。暴力とは物理的な力の行使に限られるものではなく、貧困や差別といった社会構造レベルのものも含まれると主張したのです。そんな暴力のことを構造的暴力と名付けました。つまり、争いのない世の中を作るには、構造的暴力も排除しなければいけないわけです。

そのためには、小さな争いが生じるごとにそれを解決していく必要があります。その方法としてガルトゥングが提唱したのが、トランセンド法という紛争解決法です。日本語だと「超越法」とも呼ばれます。

文字通り、対立する二者間の利害の超越点を探し出すことで、創造的な解決をもたらすことを目的としています。具体的には、調停役が間に入って当事者と対話を行うことで、いずれの目標をも乗り越える共通の利害を探していきます。

　妥協のように思われるかもしれませんが、妥協の場合はお互いの目標が半分ずつ達成されるだけです。その結果、不満が残ってしまいます。これに対して超越点の場合は、お互いが完全に満足するので、争いの完全な解決が可能なのです。簡単なことではありませんが、お互いが本当に求めることを探っていけば、必ず超越点に行きつくことができるはずです。争い自体を求める人はいないでしょうから。

〈こんな感じで使ってみよう〉

Ⓠ—自分の身の回りにある争いを、トランセンド法で解決してみてください。

Ⓐ—たとえばご近所のトラブルで、家の草を刈るか刈らないAさんと、草を刈ってほしいお隣のBさんがいたとします。これは、一見草を刈るか刈らないかの二者択一に思えます。そこで双方の理由を確認します。すると、Aさんは自然を愛するがゆえに草を生やしておきたい。他方Bさんは、虫が来る、見た目が悪い、防犯上よくないと感じているとわかりました。だとすると、草を刈るか刈らないかという二択ではなくて、そもそも草むらをどう管理するかというところから解決の糸口を探れば、利害の超越点が見つかるのではないでしょうか？

42 触覚が大事だと考えてみる

——コンディヤックの慎ましい形而上学

〈解説〉

人間が持つ感覚の中でどれが一番重要か？　多くの人は視覚だというのではないでしょうか？　たしかに人間はほとんどの情報を視覚から得ているといいます。その意味では、私たちの感覚や思考に対する視覚の影響は大きいといえます。でも、生身の身体を持った存在である人間には、実は触覚が大きな影響を与えています。

そんな触れることの大切さを説いたのが、18世紀フランスの哲学者エティエンヌ・ボノ・ドゥ・コンディヤック（１７１４－１７８０）です。彼は感覚でとらえることができないようなものについて議論する哲学を、「高望みをする形而上学」だといって非難しました。これに対して、感覚、とりわけ触覚を重視する「慎ましい形而上学」を提唱したのです。いわば触覚の哲学と呼んでもいいでしょう。

コンディヤックによると、人間は基本的に視覚でものをとらえるのですが、そこには自ずと限界があるといいます。なぜなら、視覚による影響は、単に心に変化をもたらしたに過ぎないともいえるからです。たとえば、何かを見て痛そうと感じるのはあくまで想像上の痛みに過ぎません。でも、自分がケガをしたときの痛みはそれとは違うはずです。

そこで視覚でとらえたものが実際のものと対応しているか確かめるためには、触覚を使うよりほかないというわけです。この場合の触覚とは、単純にいうと何かを押した時に感じる抵抗のことです。そんな抵抗の触覚によって、私たちは他者の存在を感じているのです。

つまり、触れるということは、他者の存在を感じることでもあります。愛情でも友情でも、見つめるだけでは不十分で、人がどうしても相手に触れて確かめたくなるのはそのせいです。

〈こんな感じで使ってみよう〉

Ⓠ—日常の中で、触れて初めて本当にわかるものを挙げてみてください。

Ⓐ—熱いとか冷たいという温度の違いは、まさに視覚ではとらえきることができません。もちろんサーモメーターのように色で温度を示す装置も存在しますが、それでは本当の熱さを感じることはできないでしょう。だから触ってみる必要があるわけです。また、どれだけスベスベで、どれだけザラザラかというのも、いくら言葉で説明されてもピンときません。やはり触ってみて初めてわかるものです。体温や皮膚を持つ生き物である人間は、触って初めて物事を本当に理解できるようになっているような気がしてなりません。

43 操られていると疑ってみる

——サンスティーンのリバタリアン・パターナリズム

〈解説〉

日頃私たちは誰かに操られていることに気づいているでしょうか？　自分で選んだつもりが、実は選ばされていたとしたらどうでしょう。それが、アメリカの法学者キャス・サンスティーン（1954－）らの提唱するナッジという発想です。ナッジとは、もともとは肘でつついたりして、それとなく気づかせるという意味の英単語です。

つまりナッジとは、人は正面切って指示をされると抵抗するので、それとなく気づかせることで、主体的に行動してもらうための知恵です。その根底には、いわば自由至上主義を掲げるリバタリアンが重視する個人の自律と、パターナリズムつまり父権主義に基づく親心としての介入のバランスをうまく取るための、「リバタリアン・パターナリズム」という思想が横たわっています。

ナッジは、人々を誘導するために公衆衛生の分野で広く活用されています。たとえば、生活習慣病を予防するために、食事改善を促したり、運動することを勧めたりする際に用いられます。

反対に、サンスティーンは、何かをさせないようにするためのスラッジというアイデアも提案しています。スラッジというのはぬかるみのことです。誰だってぬかるみがあれば、前に進むのを躊躇《ちゅうちょ》するからです。たとえばサブスクリプション契約の解除手続きが面倒なのは、このスラッジの仕掛けの典型例です。

〈こんな感じで使ってみよう〉

Ⓠ―日常において、自分が操られていることがないか考えてみてください。

Ⓐ―そもそも何かを買おうと思ったのは、どこかで見たCMの影響ではないでしょうか？　これは、企業によるナッジの効果といえるかもしれません。また、本当はフリーランスで働きたいのにできないのは、もしかしたらスラッジによる効果かもしれません。なぜなら、フリーランスとして働くのは、会社勤めをするのに比べて面倒なことが多いからです。みんながみんなフリーランスになったら、社会が安定しないので、そうならないような仕組みになっているのでは？

44 人間は技術のしもべだと考えてみる

——スティグレールの補綴性

〈解説〉

テクノロジーはどんどん進化していきます。それには実は理由があります。フランスの哲学者ベルナール・スティグレール（１９５２－２０２０）の思想がうまくそれを説明してくれています。

キーワードは「補《ほ》綴《てつ》性」です。補綴性とは、簡単にいうと人工的に人間の機能を補うもののことです。人間は技術を必要とするがゆえに、どんどん便利なものを求めます。その発展形がテクノロジーにほかなりません。スティグレールによると、人間はほかの動物と比べて欠陥だらけの存在だといいます。毛皮もない、牙も大きな爪も、羽もない。だから服を作り、ナイフを作り、飛行機を作る、つまり補綴をしてきたわけです。

もっとも、そのおかげで、欠陥だらけの存在である人間がこの世界の頂点に立つことができました。ほかには何もないけれど、技術を生み出す力だけは与えられた人間。だから人間は技術を不可欠のものとしており、それなしでは生きていけません。その意味では、技術のしもべだということができるでしょう。
　そう考えると、人間は技術を発展させ続けているというよりは、そうせざるを得ない運命にあるといえます。いわば技術的存在です。人間が技術を生み出しているのではなく、むしろ技術が人間を駆り立てているのです。そんな現実に気づけば、技術との付き合い方もきっと変わってくるに違いありません。

〈こんな感じで使ってみよう〉

Ⓠ—技術に振り回されていると感じる例を挙げてみてください。
Ⓐ—現代の技術といえば、やはりデジタルのテクノロジーでしょう。たとえばスマートフォン。スマートフォンは頻繁にアップグレードし、新機能が加わります。そのたびに私たちは操作方法を習得しなければならないのですが、考えてみれば、自分でそんな進化を望んだわけではありません。必要性よりも技術開発が先に進んでしまい、スマートフォンの側が勝手にアップグレードするのです。そして私たちは自分の意志にかかわらず、その進化についていかなければなりません。まさに技術のしもべといえるのではないでしょうか。

45 まだ完成形ではないと考えてみる

——マラブーの可塑性

〈解説〉

私たちはつい物事をすでに完成したものとして見てしまいがちです。作成中だとか作業中とでも書いていない限りは、もうそれ以上変化することはないと決めてかかってしまいます。ところが、フランスの哲学者カトリーヌ・マラブー（１９５９－）の掲げる「可塑《かそ》性」の概念に目を向けると、そうした考え方が必ずしも正しくないことに気づきます。彼女のいう可塑性とは、粘土の性質を思い浮かべてもらうとよくわかると思います。

まずそれは形を受け取る能力を意味します。粘土に力を加えれば、形が変わるように。とはいえ、柔軟性とは少し異なります。なぜなら、粘土は新しい形になって、もとの形には戻らないからです。たとえばゴムボールは力を加えればもとの形に戻りますが、粘土はもう戻りません。だから可塑性には、形を与える能力も含まれるとされます。

では、この可塑性の概念はどのように応用することができるのでしょうか？　たとえばマラブーは、可塑性を脳科学に応用して脳神経の仕組みを表現したり、「女性的なもの」という概念を可塑性の文脈でとらえ、フェミニズムの議論に応用したりしています。

つまり、何か新しい力が加わることで新しい状況が生じるわけです。でも、決してそこに固定されてしまうのではないというところがポイントです。物事は常に、そして永遠に仮の状態なのです。可塑性とは、そんな物事に新たな可能性を与える動作であり、きっかけとなる原理としてとらえればいいと思います。

〈こんな感じで使ってみよう〉

Ⓠ—一見完成形と思われる身の回りのものを可塑性でとらえ直してください。

Ⓐ—机は昔から板に4本の脚がついているものとして完成されているように思います。しかし、あえて可塑性で机をとらえてみるとどうなるでしょうか？　現代社会のトレンドやテクノロジーの進化に鑑みると、もしかしたら脚が折りたたまれて、ドローンのように空を飛ぶ形のものもできるのではないでしょうか？　なんでも飛ばそうとする時代ですから。その場合椅子も机に固定する必要がありますが、いずれにしても空で優雅にデスクワークをするといったようなことが当たり前になる日がくるかもしれません。このように可塑性でとらえると、驚くようなイノベーションを考えることができるのです。

46 未来はここにあると考えてみる
――デ・シャリートの超越的な共同体

〈解説〉

私たちはつい、自分の生きている共同体は現実に存在する社会に限定されると思いがちです。でも本当にそうなのでしょうか？　イスラエルの政治哲学者アヴナール・デ・シャリート（1957―）はそうは考えません。

デ・シャリートによると、そもそも人のアイデンティティは、生涯のすべての経験によって形成されるといいます。彼はそれを自己の統一と呼びます。そして、その自己の統一によって描かれる人生が物語になるというのです。

もっとも、その物語は自分だけで描けるものではないでしょう。私たちは共同体に生きる生き物ですから、当然その共同体が私たちの人生の物語に影響してきます。しかも、自分が生きる共同体は、当然ながら自分が死んだら消滅するわけではありません。死後も続きます。自分の子や孫、あるいは関係してきたすべての人たちが、その後も同じ共同体の中で生きていくのです。

デ・シャリートは、そこまで念頭に置いたうえで、自分の物語を描かなければならないといいます。そんな未来にも続く共同体のことを「超越的な共同体」と表現します。

つまり、私たちは今ある社会だけではなく、未来の共同体にも生きているのです。これは未来の倫理を考えるうえで重要な視点だといえます。今ある社会の延長線上に未来の共同体があり、自分もまたその未来の共同体の成員だととらえるわけですから。そういう意味で未来はどこか遠くにではなく、今ここにあるのです。

〈こんな感じで使ってみよう〉

Ⓠ―もし自分が未来の共同体の成員だとしたら、行動はどう変わりますか？

Ⓐ―今生きている社会が未来へとそのまま接続していて、自分が未来の共同体の成員でもあるとしたら、時間のとらえ方が変わってくるように思います。たとえば、今なら何かを廃棄しても、そのうち自然の中に循環するだろうと考えます。その場合の時間の感覚が、これまではせいぜい自分が生きている何十年かのスパンだったのに対して、未来世代のことまで考えると、何百年何千年のスパンで自然への影響を考えるようになると思います。

47 予め体系は存在しないと考えてみる

——ディドロの哲学的精神

〈解説〉

世の中には無数の知識が飛び交い、頻繁に新たな学問が生まれています。そんな中でいかに知を体系化していけばいいのか？　参考にしたいのは、18世紀に知の体系ともいうべき『百科全書』を編集した人物の一人、フランスの哲学者ドゥニ・ディドロ（1713－1784）です。

ディドロは、当時の最新の知を一つにまとめ、『百科全書』を近代啓蒙思想の集大成と称される大作に仕上げた人物です。『百科全書』には、ありとあらゆる知が集積されているのですが、ただ単に機械的にそれらを並べたわけではありません。きちんと考えて、意味のある体系化がなされています。それゆえにこの本は思想書足りうるのです。いったいいかにしてそのような体系化が可能になったのでしょうか？　その秘訣はディドロの哲学にあったといえます。

ディドロが重視したのは、体系的精神ではなく「哲学的精神」でした。体系的精神というのは、予め設計図を作ってそこに知を当てはめていくような思考法です。しかしその方法では設計図の外側にあるものが入ってきません。そこで先に全体の設計図を作るのではなく、一つひとつの出来事を相互に結び付けて、それが全体としてどういうことなのかを説明しようとしたのです。これが哲学的精神にほかなりません。それぞれの情報の関係性を描き出していく中で、結果として全体像が浮かび上がってくるという思考法です。

ディドロはそうすることで初めて、すべてを包含する百科全書的知識を描き出すことができました。結局情報の整理とは、予め用意した枠に知を並べていくことではなく、むしろ哲学的な思考をすることなのです。

〈こんな感じで使ってみよう〉

Ⓠ—この世の中を理解するのに哲学的精神を活用してみてください。

Ⓐ—この混沌とした世の中を理解する際、よくやりがちなのは、どういう社会なのか予めキーワードを取り出し、それに各々の現象を紐づけていくことです。たとえば、グローバリゼーションや高齢化社会、あるいはＤＸ化といったように。でも、その方法だとキーワードに引きずられてしまって、本当の社会の姿をとらえることができない可能性があります。したがって予めキーワードは設定せずに、目の前の現象を一つひとつつなぎ合わせていくことで、結果的に自分なりのキーワードを導き出すのが正しい世の中のとらえ方だということになります。

48 削ることで本質が見えると考えてみる

――プロティノスの一者

〈解説〉

私たちは一生懸命勉強しようとします。知を身につければつけるほど、自分が磨かれると思っているからです。でも、本当にそうなのでしょうか？　古代ローマ支配下のエジプトで活躍した哲学者プロティノス（２０５頃－２７０）にいわせると、必ずしもそうではありません。プロティノスはこういっています。「彫刻家が彫像を完成させるように、たえず自分の完成につとめなさい」。つまり、自分を彫刻に見立てて、常に完成を目指していきなさいということです。その際プロティノスは、彫刻とは自分の余分な部分を削ることだといっています。

私たちは何か新しい知を学ぶたび、その知を身につけるのだと思い込んでいます。しかし自分を磨くというのは、自分の不要な知識を捨てることにほかなりません。

プロティノスの彫刻のイメージと同じで、むしろ余分なものをそぎ落とすことで、より美しく、より強靭な姿に近づいていくということです。彼はその究極の状態を「一者」と呼びました。これこそが理想の自分です。

その理想の自分に近づくために、新しい知を彫刻のノミのように用い、不要なものと必要なものをより分けていくということです。プロティノスは、そんな彫刻を続けていれば、宇宙を支配することさえ可能だといいます。かなり大げさな話ですが、理屈としてはあり得ないことではありません。そうして自分を磨き続けていれば、いずれはこの世のトップに立つことも不可能ではないということです。

〈こんな感じで使ってみよう〉

Ⓠ―学ぶことは余分なものを削ることだと考えてみてください。

Ⓐ―たしかに、何か新しいことを学ぶと、それまで勘違いしていたことや古い知が不要になります。つまり余分なものが削られていくのです。哲学がまさに典型です。なぜなら哲学とは物事の本質を探究することであり、ということは、本質以外のものは余分なものだからです。むしろそんな余分な知をそぎ落とさないことには、本質は見えてこないでしょう。たとえば、かつて私は愛とは自分にないものを求めることだと思っていました。ところが、古代ギリシアの哲学者プラトン（紀元前427－紀元前347）が、完璧なものに憧れることこそが愛の本質だと論じているのを知って考えが変わりました。まさに余分な知を削り、本質を手にしたような感覚を覚えたものです。

49 通り抜けに意義を見出してみる

——ベンヤミンのパサージュ論

〈解説〉

今の時代、情報を瞬時に見ることが当たり前になっています。テレビのチャンネルのザッピングからネットサーフィン、そしてＳＮＳ動画のスクロールまで。そうした行為にどんな意味があるのか？　参考になるのはドイツの哲学者ヴァルター・ベンヤミン（１８９２－１９４０）の「パサージュ論」です。

パサージュというのは、19世紀にパリの中心街付近に登場した回廊型のアーケードのことです。もともとフランス語で「通り抜け」を意味するように、狭い通路の両側にたくさんの店のショーウインドウが連続していて、あたかも無数の情報の中を通り抜けていくような感覚にとらわれます。

ベンヤミン自身、そんなパサージュを通り抜けながら、ふと目にしたものをテーマに、社会や時代に関する考察をしていました。彼は目的を持たずに街路を彷徨《さまよ》う人のことを遊歩者と呼んだのですが、それは同時にアーケードという情報を観察する観察者でもありました。

パサージュには19世紀当時の人々の夢が投影されていたといいます。ショーウインドウを見ればわかるように、そこに並べられている商品は人々が求める夢でした。今のテレビやネットに流れる情報も、同じ人々の夢です。なぜなら、買い物さえネットで行う私たちは、実際の街中のアーケードを通り抜けることは少なくなりましたが、代わりに日々ネット上のアーケードを通り抜けているからです。そうしてそこで目にする人や物に憧れを抱いています。

〈こんな感じで使ってみよう〉

Ⓠ—SNSをパサージュ論で分析してみてください。

Ⓐ—SNSは一つのメッセージを深く見るというより、多くのメッセージを一度に見るメディアだといえます。その意味でアーケードの通り抜けと同じ効果があると思います。ただSNSの場合、同じような情報に偏ってしまう点が問題です。SNSのアルゴリズムは基本的に自分の好きな情報が提示されるようにできているので、どうしても意外な情報に触れる機会が限定されてしまいます。しかし、自分の好きなものをたくさん見て、夢を明確化していくというのも大切なことなのかもしれません。

50 悪徳は悪くないと考えてみる

――マンデヴィルの蜂の寓話

〈解説〉

人間はずるがしこい存在です。その意味では、悪徳もまた人間の一側面だといっていいでしょう。ただ、必ずしも悪徳が悪いわけではありません。オランダ出身のイギリスの思想家バーナード・デ・マンデヴィル（1670－1733）はまさにそのようなことをいっています。

彼が提起した有名な「蜂の寓話」は、悪徳のススメといっても過言ではありません。巣の中の蜂は一匹一匹、いずれも私益の追求にあくせくしているにもかかわらず、巣全体として見れば豊かで、社会生活が生き生きと営まれている事実を指摘したものです。

蜂の寓話というのは、彼の著書のタイトルなのですが、副題の「私悪は公益なり」という主張が本質を表現しています。

マンデヴィルは、人間の本性を理性よりも情念に見出し、私益に基づく行為が、結果として公益につながると主張しました。実際、虚栄や強欲といった私益に基づいて行われた行為が、結果として社会を潤すことによって、公益に資するということはあるものです。反対に、人々の中に正直さや節制のような美徳しかなかったら、この世は発展しないでしょう。

誤解しないでいただきたいのは、悪徳といってもマンデヴィルは決して犯罪のような悪の話をしているわけではありません。また、私益を道徳として肯定することもしていません。あくまで私益が結果的に公益に資する事実を指摘しているだけです。

〈こんな感じで使ってみよう〉

Ⓠ—悪徳が世のため人のためになっている例を挙げてください。

Ⓐ—そもそも経済活動そのものが、悪徳が公益へとつながっている例だと思います。実はマンデヴィルの理論は後に多くの経済学者に応用され、それによって市場経済の理論が構築されていきました。皆自分の私益のために物を売買し、その結果、社会が発展します。その私益の追求が、仮に自分だけ得すればいいという意味で悪徳に根差しているものであったとしても、これこそまさに悪徳が世の中をよくする例だといえるのではないでしょうか？　あまり禁欲的になり過ぎるのは、世の中のためにもよくないということです。

パートII

哲学者に学ぶ具体的な疑い50

51 どこまでも自由になれると考えてみる

――ノージックのリバタリアニズム

〈解説〉

人間には自由があるといいますが、いったいどこまで自由にしていいのでしょうか？ その点で、どこまでも自由になれると考えるのが「リバタリアニズム」です。自由至上主義と訳してもいい政治哲学用語です。

リバタリアニズムを主張する人たちをリバタリアンといいますが、彼らはまさに個人の自由や選好を最大限尊重する極端な個人主義者です。もっとも、リバタリアニズムの間にも幅があり、国家をまったく廃止するという立場から、ある程度の国家のかかわりを認める立場まで様々です。

最も有名なのは、アメリカの政治哲学者ロバート・ノージック（１９３８－２００２）が唱えた最小国家論でしょう。最小国家というのは、国家の役割を国防や裁判、治安維持といった最小限にとどめようという主張です。

したがって、リバタリアニズムにいわせると、福祉などの富の再配分は税金という名の泥棒です。なぜなら、富の所有は、そもそも労働に基づいて生じるものであって、個人の財産を取り上げて再分配するのは、あたかも政府が無償の強制労働をさせたのに等しいからです。

他方、彼らは市場には絶大なる信頼を寄せます。リバタリアニズムこそ自発的な交換を本質とする道徳的な制度だというのです。この思想が個人主義の国アメリカで人気があるのは納得できると思います。私たちは、国家によって自由が規制されるのは当たり前と思いがちですが、決してそんなことはないのです。

〈こんな感じで使ってみよう〉

Q—今よりもっと自由な社会を構想してみてください。

A—私たちは普段、社会の仕組みなんてそう大きく変わるものではないと思い込んでいます。だから超高齢社会で富の再分配のためにどんどん税金が上がっていくのは仕方ないものだと諦めています。しかし、人間は本来自由であって、国家による規制は私たちが望んだものに過ぎません。特に民主主義国家の場合は選挙によって。だから嫌なら変えていくこともできます。たとえば税金を下げて、福祉を最小限にするという選択もあり得ます。その代わり、自分たちでお金を貯めて自衛する必要が出てくるだけのことです。さあ、どっちがいいですか？

52 心と体は別だと考えてみる

——デカルトの心身二元論

〈解説〉

普段私たちは心と体は一体のものだと思っています。でも本当にそうなのかどうか？ フランスの哲学者ルネ・デカルト（１５９６－１６５０）は、有名な「我思う、ゆえに我あり」の言葉に象徴されるように、「私」の意識、つまり心だけは疑い得ない特権的なものだと主張しました。

その結果、心以外の部分はそれとは別の存在として切断されます。体もあたかも機械や物と同じ扱いになったということです。こうして心と体はバラバラにされてしまったのです。これが悪名高き「心身二元論」あるいは「物心二元論」と呼ばれるものです。

デカルトは、心の本質は「思考」であるのに対し、体を含むそれ以外の物質の本質はすべて「延長」に過ぎないととらえます。延長というのは哲学用語で、単なる空間上の広がりのように物理的な状態を指します。問題は、このように両者をまったく別の性質を持つ存在としてとらえた場合、心と体の関係性を説明できなくなる点です。

そうして後の哲学者たちはこの問題をめぐって頭を悩ませることになります。これは現代を生きる私たちにとっても大きな問題です。最新の医学では、臓器や細胞が脳とは独立して活動しているという説も出てきています。またＡＩも意識を持ちうるという議論が出てきています。その意味では、心と体をバラバラにしたデカルトの功績は実は大きいといえるのかもしれません。

〈こんな感じで使ってみよう〉

Ⓠ—心と体が別のものだと意識すると、日常はどのように変わるでしょうか？

Ⓐ—日頃心と体が別のものであることは意識していないので、言葉では「心を休める」とか「体を休める」といっても、特にどちらか一方だけを休めようとは思っていません。でも、両者が違うものであることを意識すると、おそらく心と体の両方をいたわるようになるのではないでしょうか。そうでないと、心を休めているつもりが、実は体は酷使し続けていて病気になるなどということになりかねません。またその逆もあるでしょう。心と体を同時にケアすることの大切さに気づくと思います。

53 神は死んだと考えてみる

――ニーチェの超人思想

〈解説〉

私たちは特定の宗教に帰依していなくても、神様に頼りがちです。いわゆる神頼みです。はたしてそれでいいのかどうか？　ドイツの哲学者フリードリヒ・ニーチェ（１８４４－１９００）は、そんな態度を強く批判した人物として知られています。

そのニーチェの代名詞といってもいいのが、「超人思想」です。彼はこの超人のことをドイツ語でユーバーメンシュと表現していますが、英語でいうとオーバーマンです。オーバー、つまり困難を超えていく人という意味です。

どうしてそのような意味での超人にならねばならないかというと、いつまでも神様に頼っているわけにはいかないからです。神様に頼っている限り、私たちは強く生きていくことはできません。だから彼は、あえて「神は死んだ」と宣言したのです。

といっても、実際に神が死ぬわけではありません。これはキリスト教批判です。当時のヨーロッパ社会ではキリスト教が世の中を支配していました。人々は神に頼りっきりで、主体的に生きようとせず、失敗しても常に恨み節を口にするだけでした。ニーチェはそんな態度をニヒリズムと呼んで非難したわけです。

それを乗り越えるには、頼るべき神はもう死んだと思って、自分で困難を乗り越えていくしかなかったのです。それこそが超人思想にほかなりません。弱い人間が言い訳ばかりする人生と縁を切るには、それだけ衝撃的な決別宣言が必要だったのでしょう。

〈こんな感じで使ってみよう〉

Ⓠ—神は死んだと思うと、日常の姿勢は具体的にどう変わるでしょうか？

Ⓐ—必ずしも宗教を信じていないとしても、誰しも何らかの形で心に神の存在を抱いているものです。それはきっと、最後は神様がなんとかしてくれるという神頼み的感覚なのだと思います。でも、神は死んだと思えば、すべて自分で責任を取るしかなくなります。そのおかげで、物事にも積極果敢に取り組むようになるのではないでしょうか？　そして失敗をしても立ち上がる強さを手にするような気がします。

54 死は悪いもんじゃないと考えてみる

——ハイデガーのダーザイン

〈解説〉

一般に死は嫌なものです。だから死の話はタブー視されがちです。でも、誰のもとにも訪れるのが死です。だとするなら、単に死を不安がるのではなく、もっと前向きにとらえた方がいいのではないでしょうか？

そんな視点から死の意味を生を輝かせるために再定義したのが、ドイツの哲学者マルティン・ハイデガー（１８８９－１９７６）でした。ハイデガーは、死への不安を先駆的決意性という前向きな気持ちへと転換しようとします。

先駆的決意性とは、死という人生の終わりにある可能性を先回りして了解し、予め受け入れるといった意味です。ハイデガーは、人間を時間の中に位置づけ、「誕生と死」という始まりと終わりにはさまれた存在の有限性を自覚させようとしたのです。

これによって人間は、死へ向かう存在として、代替不可能な固有の生を生きることになるといいます。誰しも死を意識すれば、本気で生きるようになるものです。その本気になった姿こそが本来の生であり、そうした人間をハイデガーは「現存在（ダーザイン）」と呼びました。ドイツ語でダーとは今ここを意味し、ザインとは存在を意味するので、これは今を生きる人間という意味になります。

　このように考えると、死は生をより輝かせるための重要な契機へと変化します。死への不安におびえながら生きるのと、死を覚悟して懸命に生きるのと、どちらがいいかは明らかでしょう。

〈こんな感じで使ってみよう〉

Ⓠ—死を意識すると生き方がどう変わるか考えてみてください。

Ⓐ—普段私たちは自分が死ぬなどということは考えてもいません。だから漫然と生きているわけです。でも、もし何らかのきっかけで死を意識するとどうなるか？　おそらく急に不安に駆られることでしょう。その時死に向き合わなければ、ずっと不安なままに生きることになります。そこであえて死に向き合うことで、むしろ不安を乗り越え、どうせ死ぬなら生きている間頑張ろうという気持ちになるのではないでしょうか。余命宣告を受けた人が、絶望を乗り越えて最後の時間を輝かせるように。

55 満足はよくないと考えてみる

――アリストテレスの中庸

〈解説〉

普段私たちは何事も満足するのがいいと思い込んでいます。でも、決してそうとは限りません。古今東西の哲学者たちは、何事もほどほどがいいという思想を説いています。古代ギリシアの哲学者アリストテレス（紀元前３８４－紀元前３２２）もその一人です。

彼の説くメソテースは、いわゆる「中庸《ちゅうよう》」を意味しています。中庸とはまさにほどほどのことです。さらにアリストテレスは、この中庸を人間の徳として論じています。彼が中庸を徳として位置づけたのには理由があります。

当時人々は、ポリスと呼ばれる都市国家で共同生活を送っていました。アリストテレスはそれを「人間はポリス的動物である」と表現しました。狭い都市国家の中では、互いに協力し合うことで初めて生活が成り立っていたからです。言い換えると、極端な行動に出ないことが求められたのです。

だから中庸は徳とされました。この場合、行動が偏り過ぎるのはダメで、両極端の中間こそが中庸とされました。たとえば、臆病と無謀の間の適切な状態、中間は勇敢となります。同じく無感覚と放埒《ほうらつ》の中間は節制、追従と無愛想の中間は好意、卑下と自慢なら誠実となります。これらの例からもわかるように、自分は中庸であるつもりが、周囲から見れば放埒であったり自慢になっていたり、極端に偏っている可能性があるわけです。

自分でほどほどをつかむのは大変ですが、仲間の存在を意識すれば、自然と配慮ができるものです。自分のことだけを考えていては、そのような配慮はできないでしょう。アリストテレスが倫理学の父として崇《あが》められるのは、そんな中庸の徳を説いたからにほかなりません。

〈こんな感じで使ってみよう〉

Q—中庸を意識して生きるとしたら、人生はどう変わるでしょうか？

A—私たちは日頃中庸を意識することはまずありません。だからやり過ぎて後悔するのです。たとえば、飲み過ぎ食べ過ぎに始まり、会社を辞めるかどうかといったような人生の選択においてもそうです。したがって、最初から中庸を意識していれば、きっと人に迷惑をかけない、また自分も後悔することのない適度な行動を取ることができるはずです。それによって失敗がなくなり、人生はもっとうまくいくのではないでしょうか？

56 怖い方がいいと考えてみる

――マキャヴェッリの君主論

〈解説〉

今の時代は、怖いのは悪だとされます。そのためリーダー的存在にある人も、指導がしにくくなっています。本当にそれでいいのかどうか？　イタリアの思想家ニッコロ・マキャヴェッリ（１４６９－１５２７）の『君主論』を参考にして考えてみましょう。

マキャヴェッリの「君主論」は、冷徹でリアリズムに満ちているといわれます。目的のためには手段を選ばない悪名高き策略術は、マキャヴェリズムと呼ばれて現代まで語り継がれているほどです。

マキャヴェッリは、フィレンツェ共和国の外交官ですが、後に失脚して本を執筆します。それが『君主論』でした。当時のイタリアは、小国が対立し合って政情が不安定でした。その現実を肌で感じ、また外交官として他国の君主を観察することで、リアルな政治思想を形成していったわけです。

「愛されるよりも恐れられることの方が望ましい」という表現は、まさに彼のマキャヴェリズムを象徴しているといっていいでしょう。もっとも、ここでいう恐れられるというのは、そう単純ではありません。恫喝《どうかつ》していればいいというのではなく、決して憎まれてはいけません。憎まれると足を引っ張られるからです。そこがまたリアルなのです。

結局リーダーは、ただ単に怖いだけでなく、憎まれないようにちゃんと頭も使わなければならないということになります。だから彼は、比喩として狐と獅子をリーダーの模範にしたのです。狐は狡猾で罠にはまることはなく、獅子は強くてほかの動物に負けることがないからです。この両方の能力がリーダーには求められると考えたわけです。

〈こんな感じで使ってみよう〉

Ⓠ—現代社会において怖いリーダーを実践する場合の注意点について考えてみてください。

Ⓐ—現代社会は特にコンプライアンス意識が高くなっているので、安易に怖いリーダーを演じることはできません。でも、リーダーシップを発揮すべき時はあるので、そこでうまく憎まれないように毅然とした態度を取る必要があります。その際、やはり狐の狡猾さが求められるのだと思います。相手から恨みを持たれないような内容や言い方に配慮し、そのうえで威厳を示すということです。真のリーダーシップを実践するのは楽ではありませんが、不可能でもありません。

57 孤独は幸せだと考えてみる

——ショーペンハウアーの孤独論

〈解説〉

一般に孤独のイメージは、暗い、つらいというものではないでしょうか。ところが、ドイツの哲学者アルトゥル・ショーペンハウアー（１７８８－１８６０）にいわせると、それこそが自分を自由にする貴重な時間なのです。

たしかに、誰かと一緒にいると、その人に合わせる必要があります。そうした時間は楽しいかもしれませんが、逆に考えると、自分の時間を奪われているともいえます。パーティで、ふと虚《むな》しさを覚えた経験は誰しもあると思います。自分は何をやっているんだろうかと。

そんな時、一人になって自分を見つめ直すと、とても有意義に感じるはずです。実はこれは人生全体においても当てはまります。人生は必ずしも、オーケストラのように皆と一緒に音楽を奏でなければならないものではありません。ピアノのソロ演奏のように、一人美しい調べを奏でることもできます。ショーペンハウアーはまさにそう喩《たと》えています。

彼がこうした境地に至ったのは、自分自身が孤独な人生を選んだからです。若い頃、あえて大学を去り、一人思索する人生を歩みました。生涯独身のまま。そのおかげで、偉大な哲学を確立できたという自負があったのでしょう。

だからこそ彼は孤独な生き方に幸福を感じることができたのだと思います。現に彼の「孤独論」は、幸福論として知られています。意外かもしれませんが、孤独は幸福を生み出す条件にもなりうるのです。

〈こんな感じで使ってみよう〉

Q—孤独をなくそうとする世の中の風潮に対し、当たり前を疑ってください。

A—世の中では、孤独であることはいけないことであるかのように思われています。孤独死はもちろんのこと、独居や独身など、いずれも孤独を悪ととらえている印象は否めません。ところが、孤独な方が自由に行動できるという視点からすると、「おひとり様」でいることは、寂しいということとイコールではありません。おひとり様は時間も物事も独り占めできます。世の中のサービスは、もっと一人を基準に設計し直してもいいのではないでしょうか？　そうすれば、孤独な時間は自分が物事を好きなように独り占めできる贅沢な時間へと変わるに違いありません。

58 不眠は成長のチャンスだと考えてみる

――ヒルティの睡眠哲学

〈解説〉

スイスの哲学者カール・ヒルティ（１８３３－１９０９）が、『眠られぬ夜のために』という本の中で、不眠について哲学しています。そのポイントは、なんと不眠なら寝なくていいという逆説的なものです。

つまり、無理に寝るのではなく、むしろ眠れぬ夜を活用するよう説くのです。というのも、眠れぬ夜に自分の生涯の決定的な洞察や決断を見出した人々がたくさんいるからだそうです。だから、眠れぬ夜を「神の賜物」とみなして活用せよとさえいいます。

普段私たちは、眠れない時、少しでも寝ようとあがきます。ところが、あがけばあがくほど、寝られなくなります。なぜか？　眠れないのには何らかの理由があるからです。そこで、むしろそれを人生の転換点ととらえて、積極的に思索の時間として活用すればいいのです。

つまり不眠を、どうすべきか決断するタイミングとして活用せよというわけです。ただしその際、自分自身に相談してはいけません。迷える自分にいくら問いかけても、堂々巡りが続くだけですから。

そこでヒルティは、自分を愛してくれる人たちと心の中で語ることを勧めます。自分を愛してくれる人は、最大限自分のことを思って答えてくれるはずです。自分にとってプラスになるような、そして自分を決して傷つけることのないアドバイスをしてくれるに違いありません。

もしいい相手がいないなら、本でもいいといいます。日頃から自分を勇気づけてくれるような本を枕頭《ちんとう》の書としてそばに置いておくといいかもしれませんね。

〈こんな感じで使ってみよう〉

Ⓠ―不眠を悪と考える風潮に異議を唱えてください。

Ⓐ―たしかに不眠は健康によくないとされます。特に何日も眠れない場合は問題です。そうならないためには、あえて開き直って、不眠から意識をそらした方がいいのです。不眠が気にならなくなれば、もう眠れない日が続くことはないはずです。もちろん睡眠障害にはアルコールや薬の影響など様々な原因があるので、それらの原因を確認したうえでの話であることはいうまでもありません。そういった原因がなければ、頻繁に不眠になるということは、それだけ人生において成長のチャンスが訪れているということかもしれません。ぜひこのように前向きにとらえてみてはいかがでしょうか？

59 嫌なことは先延ばしした方がいいと考えてみる

——ペリーの先延ばしの哲学

〈解説〉

嫌なことを先延ばしにするのは、よくない態度であるかのように思われています。でも本当にそうなのでしょうか？　アメリカの哲学者ジョン・ペリー（１９４３－）は、むしろ嫌なことを先延ばしする態度を「意義ある先延ばし」と呼んで、活用することさえ提案しています。

そうして彼自身、先延ばし癖のおかげで多くの成果を上げることができているというのです。実際、ペリーは研究者としての仕事だけでなく、一般向けの本を執筆したり、ラジオ番組を持ったりするなどの活躍をしています。

先延ばしにするにもかかわらず、なぜそのようなことが可能になるのでしょうか？　それは、嫌な仕事や苦手な仕事を先延ばしにする代わりに、ほかのやりたい仕事や得意な仕事を積極的にやることで、より生産性が上がるからです。つまり優先順位が変わっているだけだといっていいでしょう。先延ばし癖があっても、何もやらないわけではありません。

ペリーは物事の処理の仕方について、人間を二つのタイプに分類しています。物事を順番に処理していける人は縦型人間で、あたかもファイリング・キャビネットに書類を整理していくかのように着実に仕事ができる人です。他方、先延ばしタイプの人は横型人間で、仕事を全部横に並べて、気の向いたままに片付けていく人です。

横型人間も、結局最後には催促されて先延ばしにしている仕事をやるので、トータルで見ると、より多くの仕事を成し遂げることができるというわけです。

〈こんな感じで使ってみよう〉

Ⓠ—締め切りを守れない人を擁護してください。

Ⓐ—たしかに締め切りを守れないと、自分も困りますし、何より相手に迷惑をかけます。でも、皆表向きの締め切りではない「本当のデッドライン」は意識しているものです。だとするなら、先延ばしにすることでかえって好きなことや得意なことを時間いっぱい使って処理するので、生産性が上がるといえます。相手には迷惑をかけますが、素直に謝って本当のデッドラインまでに間に合わせれば問題ないと思います。もちろん、事前に本当のデッドラインを確認すると同時に、自分がそういうタイプであることを相手にきちんと理解してもらう必要があることはいうまでもありません。

60 社会に共通する意志があると考えてみる

――ルソーの一般意志

〈解説〉

人間の価値観は様々で、だからこそ社会は一つにまとまらないと考えがちですよね。でも、フランスの哲学者ジャン＝ジャック・ルソー（1712－1778）にいわせると、必ずしもそうとは限りません。

ルソーは『社会契約論』において、新しい社会秩序を作る方法を提案しました。そのためには、まず個々人が自分の持っている自由を手放す必要があるといいます。もっとも、国家において全員が全員に対して自由を譲渡するのであれば、実は自由の譲渡先は自分自身になります。なぜなら、民主主義国家を見ればわかるように、国家を構成しているのは自分であり、その国家に自由を委ねるということは、結局は自分が自由をコントロールすることになるからです。

したがって、この場合失われるのは、欲望のままにふるまう「自然的自由」だけであって、逆に真の自由である「市民的自由」を新たに獲得することができるというわけです。市民的自由とは、義務や理性に従って、自分を律することのできる自由のことです。

そうやってみんなが自由を国家に委ねたとして、いったいどのようにして一人ひとりが納得する政治を行うことができるのか？　ここでルソーは、全員に共通する「一般意志」の存在を指摘します。一般意志は、個々人の意志を単純に足し合わせた「全体意志」とはまったく異なるものです。「全体意志」は多数意見を反映するだけのものだからです。

そうではなくて、一般意志とは、あくまで全員に共通する最大公約数的な意志を指します。もちろん全員に共通する意志を見出すには議論が必要です。だから必然的に全員が参加する直接民主制が求められるのです。一般意志に基づいて、皆で政治をしようというわけです。このルソーの思想が絶対王政を倒すフランス革命を後押ししたことはいうまでもありません。

〈こんな感じで使ってみよう〉

Ⓠ—現代日本において、社会全体に共通する意志とは何か考えてみてください。

Ⓐ—少なくとも日本社会においては、多くの人が民主主義を信じ、平和を実現しなければならないと思っています。その意味では、基本的人権の尊重を含め、国民主権、平和主義といった日本国憲法の三大原則は、一般意志といえるのかもしれません。この三大原則のもとに、日本が一つにまとまっているのは事実ですから。また、原発をどうするかとか、気候変動にどう対応するかといった新しい問題についても、今一般意志を形成しつつあるように思います。

61 ググらない方がいいと考えてみる
――モンテーニュのク・セ・ジュ

〈解説〉

皆さんは何かに悩んだり、疑問を持った時どうしますか？　すぐにインターネットで検索してしまうのではないでしょうか？　そんな態度を痛烈に批判したのが、フランスの哲学者ミシェル・ド・モンテーニュ（１５３３－１５９２）です。彼は人々がすぐ自分の外側に答えを求めるのをよくないと戒めています。そうではなくて、自分の内側に答えを求めよというのです。

考える前にすぐインターネットやＡＩに答えを求めがちな私たち現代人には耳の痛い話ですね。モンテーニュは人間の知性を強く信じていました。そもそも人間はものを知りたがる存在だと。そのために具体的には考える力である理性を使うのですが、それが欠ける場合には、経験で補うことができると主張します。逆にいうと、知ろうとすることをやめてしまったら、人間らしさがなくなるということです。

それがモンテーニュの問いかけ、「Que sais-je（ク・セ・ジュ）?」にほかなりません。「私は何を知っているのか？」という意味の問いです。膨大な読書をし、人並み外れた知性を備えていたにもかかわらず、モンテーニュは最後までこう問い続けました。

そして決して自分の外側に安易に答えを求めるのではなく、自分の内側に答えを求め続けました。そうやって人間の判断力を試し続けたのです。彼が様々なテーマについて思索をした結果をまとめたのが、かの有名な著書『エセー』です。エセーとは、いわゆるエッセイ（随筆）のもとになった言葉で、「試す」という意味のフランス語（エセイエ）から来ています。人間の知性は常に試されているのかもしれません。

〈こんな感じで使ってみよう〉

Ⓠ—答えのない問いを考える際、どうすればいいでしょうか？

Ⓐ—こういう場合、昔は本で調べましたが、今はインターネットで調べたり、ＡＩに尋ねたりしがちです。すぐにわからなければ、関連するキーワードを検索して、なんとか答えを探し出そうとするでしょう。でも、もともと答えのない問いですから、探しても無駄です。一番大切なのは、自分はどう思うか考えてみることです。頭を使って、そして過去の経験の中で似たようなことはなかったか思い出してみます。そうして試行錯誤の末に仮の答えを出し、他者と議論して吟味する。決して完璧とはいえませんが、それが人間として正しい答えの出し方なのではないでしょうか。

62 権利は放棄した方がうまくいくと考えてみる

――ホッブズのリヴァイアサン

〈解説〉

16～17世紀のヨーロッパでは、王権は神から与えられた正統な支配権だとする王権神授説のもとに、王たちが絶対的な権力をほしいままにしていました。いわゆる絶対王政の時代です。そんな中、社会は人民のためにあるという論理を展開したのが、イギリスの哲学者トマス・ホッブズ（１５８８－１６７９）でした。ホッブズは『リヴァイアサン』という本の中で、近代国家成立の仕組みを提案しています。

「リヴァイアサン」とは、『旧約聖書』に登場する海の怪獣のことです。ホッブズは、絶対王政に対抗するために、このリヴァイアサンに絶対的な権力を象徴させようとしました。そして、この絶対的な権力を、個人間の契約によって理由づけたのです。そうすれば、絶対的な権力のもとは人民一人ひとりだということになります。ホッブズの理論が最初の社会契約説だといわれるゆえんです。

具体的には、個人は契約によって、主権者に自然権を譲渡します。その見返りに、主権者は個人を保護します。たまたまその主権者は王なのですが、この場合、絶対王政とは異なり、国家主権は支配される者自身の信任によって成り立っています。

意外かもしれませんが、権利を放棄することで、逆説的に人民は保護されうるのです。当時『リヴァイアサン』の表紙には、リヴァイアサンと思しき、無数の個人によってかたどられた服をまとう王が描かれていました。私たちの生きる現代の国家も、このリヴァイアサンの延長線上にあります。

〈こんな感じで使ってみよう〉

Ⓠ―職場で権利を放棄した方がうまくいく例を考えてみてください。

Ⓐ―信頼できる人がいて、かつ大枠が合意できているなら、その人に一任した方が効率がいいということはいえると思います。権利を放棄するといっても、人権まで奪われるわけではないでしょう。あくまで決定に従うということだと思います。この場合の問題は、いったん委ねたにもかかわらず、後から文句をいう人がいることです。それはルール違反ですし、一任した意味がなくなるので、原則としてそうした行為は認めるべきではないと思います。もちろん、そうならないように事前にしっかりとした議論が必要であることはいうまでもありません。また、実際には行き過ぎることがないように、何らかのチェック機能が求められるでしょう。

63 自分は神の一部だと考えてみる
——スピノザの汎神論

〈解説〉

私たちはどこかに神様がいると思っています。もちろん、無神論者もいるでしょう。でも、多くの人は、何らかの大いなる力を信じているように思います。私もそうです。特定の神様を信じているというよりは、悪いことをしたら罰《ばち》が当たるとか、お天道様が見ているといったような漠然とした神の概念を抱いています。

日本には神道があり、八百万《やおよろず》の神といわれるように、あらゆるものに神が宿っているという考え方が広く知られています。これに対して西洋ではキリスト教に代表される一神教が一般的であるといえます。そんな西洋で異彩を放つのが、オランダの哲学者バールーフ・デ・スピノザ（１６３２－１６７７）の「汎神論《はんしんろん》」です。

汎神論とは、神様が至るところに存在するという意味で、一見神道の八百万の神の考え方に似ているように思えます。ところが、両者には大きな違いがあります。汎神論とは、神は一つであり、かつこの世のすべてであるという発想です。つまり私たちも神の一部なのです。

いったいどのようなロジックなのでしょうか？　ここで主題となるのは、彼の思想の核心でもある実体論です。スピノザは神を実体として位置づけました。実体というのは、存在するために自己以外の根拠を必要としないものです。そのような存在は唯一神だけだというわけです。つまりすべては神に根拠があるので、それ以外のすべてのものは神の一側面である様態に過ぎないということになります。もちろん私たち人間も含めて。

神の存在を否定したわけではないのに、彼が既存の一神教から無神論者として誤解を受けたのもよくわかります。すべてが神だとする彼の発想はそれほど突き抜けたものだったのです。

〈こんな感じで使ってみよう〉

Ⓠ—自分が神の一部だと考えたら、生き方はどう変わりますか？

Ⓐ—普段私たちは神様は自分の外にいると思っています。だから有限で弱い存在である自分を、無限で強い存在である神様が守ってくれると信じているのです。「苦しい時の神頼み」という言葉に象徴されるように、最後は神様がいると信じてなんとか生きていくことになります。でも、自分も神の一部だとしたら、もう何も恐れることはなくなるのではないでしょうか？　完全に安心して生きることができるようになると思います。たとえ今は苦境にあっても、必ず自分次第でなんとかなると思えるような気がします。

64 どこまでも賢くなれると考えてみる

——ヘーゲルの絶対知

〈解説〉

ＡＩがどんどん発展していますが、人間はもうＡＩにはかなわないのでしょうか？　そもそも人間の知性には限界があるのでしょうか？　私たち個人についても同様の疑問が出てくると思います。生涯のうちでどこまで賢くなれるのか？

ここで勇気づけられる答えをくれるのが、近代ドイツの哲学者ゲオルク・ヴィルヘルム・フリードリヒ・ヘーゲル（１７７０－１８３１）です。彼もまたどこまでも成長し続けた人物でした。哲学者としては遅咲きでしたが、最後は最高学府のトップになり、また偉大な哲学体系を樹立したのですから。

そんなヘーゲルは、主著『精神現象学』の中で、意識が様々な経験を通じて発展し、最終的に「絶対知」と呼ばれる段階にまで到達する様子を描いています。形式的にはいかにも哲学書といった論理的な文章なのですが、あたかも主人公が冒険を通して成長していくような、物語としても読める点が特徴です。

具体的には、意識は、意識、自己意識、理性の三段階で成長していきます。理性の中でもさらに、理性、精神、宗教、絶対知の四段階で成長していきます。知の最も低い段階である意識から、徐々に自分以外にも様々な対象があることを意識し、経験を経てそれが不可欠であることに気づいていくわけです。

自分と対象を一体のものととらえる理性の段階に至ると、あとはどこまでも発展していきます。そうしてついにすべてを見通すことのできる絶対知へと至るのです。こうしてヘーゲルは、人間がどこまでも賢くなれることを理論として明確化しました。

〈こんな感じで使ってみよう〉

Ⓠ—もし自分がどこまでも賢くなれるとしたら、どんな行動を取りますか？

Ⓐ—私たちは人生のどこかで、自分の知性に限界を設けてしまいます。学校での成績が悪かったとか、受験に失敗したとかの理由で。でも、本当は限界などないのです。だからもしヘーゲルの哲学を知って、どこまでも賢くなれる可能性があることに気づけば、また努力を始められるのではないでしょうか？　今はリスキリングの時代ですが、誰もがもっと積極的に学ぶ生活を始めるような気がします。学びは自信に大きくつながる営みですから。

65 死は絶望よりマシだと考えてみる

――キルケゴールの絶望の本質

〈解説〉

この世で人々が一番恐れることは何か？　一般的には死だと思うでしょう。ところが、必ずしもそうとは限りません。デンマークの哲学者セーレン・キルケゴール（1813－1855）にいわせると、死よりも恐れるべきなのは絶望です。

死はすべてを無にしてしまうものではないと、キルケゴールはいいます。たとえば、病気の子どものことを心配しているとしましょう。自分が死ねばそれで心配事はすべて消えるのでしょうか？　心配は消えても、病気の子どもという心配すべき事実は残ったままですよね。

だからキルケゴールは、絶望の苦悩があると死ぬこともできないというのです。死ぬほどの苦しみを味わいながらも、決して死ぬことができない事態、それが絶望にほかなりません。では、そんな「絶望の本質」とは何でしょうか？　それは現実の自分が本来の自分にかかわる際の「くいちがい」だといいます。本来自分はこうあるべきという理想の状態にどうしてもなることができない。そういう気持ちが絶望を生むのです。

でも、絶望を克服する術がないわけではありません。それは自分の中に存在する理想に目を向けることです。たしかに人は、理想を抱くから絶望するわけですが、その同じ理想が絶望を克服するきっかけにもなりうるのです。理想に目を向け続ける限りは、まだその先に希望があると思えるということでしょう。

その意味でキルケゴールは決して後ろ向きの哲学者ではなく、理想に賭けた前向きな哲学者だったといえます。彼が自分で人生を切り開くことを説く実存主義の先駆者とされるのはそうした理由からです。

〈こんな感じで使ってみよう〉

Ⓠ—絶望を肯定的にとらえてみてください。

Ⓐ—通常、絶望は否定的な状態です。でも、キルケゴールがいうように、絶望の方が死よりも恐ろしいと考えると、まず死が相対化されるように思います。つまり、絶望の苦悩があると、最後は死ねばいいという逃げ方ができなくなるという意味で、絶望を肯定的に位置づけられるわけです。そうして逃げることなく、問題に向き合うことができるようになります。さらに、絶望するのは理想があるからだと思えれば、その理想に向かって這い上がろうという気持ちが生まれるかもしれません。

66 時間は流れないと考えてみる

――ベルクソンの純粋持続

〈解説〉

時間の流れが速いとか遅いとかいいますが、実際に時間は川のように流れているのでしょうか？　たしかに時計の針は進んでいきます。そこをとらえてあたかも時間が流れていくかのように思うかもしれませんが、実はそんなことはないのです。

時間の本質を考える際参考になるのが、フランスの哲学者アンリ・ベルクソン（１８５９－１９４１）による「純粋持続」という概念です。

一般に時間は、線を描いて説明するように、時系列で量的に測れるものだと思われています。1分経過、1時間待った、10時間もの間というように。しかしこれは、時間というものを分割し、私たちの外側から理解したものです。これに対してベルクソンは、時間とは人間の内側から生きられ、直観されるものだといいます。これが、「純粋持続」という考え方です。つまり心の中の時間こそが本当の時間だというわけです。だから分割することなどできないのです。

別のいい方をすると、時間の瞬間瞬間は別々のものではあるものの、自分の中でそれらがつなぎ合わさって、一部分が全体を映し出すような形で存在するものです。つまり時間というのはメロディのようなもので、新たな音がそこに加えられると、全体が変わってしまう性質を有しているといいます。付け足されるのではなく、混ざってしまうのです。

そうすると、時間は過ぎ去っていくのではなく、過去も未来も現在も混ざりあって常にここに存在することになります。だから流れないのです。すべては今ここにあって、その都度引き出してくるだけです。時計の時間ではなく、意識の時間こそが本当の時間なのです。

〈こんな感じで使ってみよう〉

Ⓠ—意識の時間が本当の時間だとすると、ライフスタイルはどう変わりますか？

Ⓐ—時計の時間に合わせなくていいとなると、自分がその事柄をどうとらえるかで時間の長さが変わってくると思います。たとえば、仕事の時間もそうです。仕事にかける時間や、感じる時間が変わってくるということです。つまり、時計の時間、世間の時間に追われなくなるので、時計をあまり見なくなるでしょう。そして時間はむしろ空気と同じ見えない存在として、私たちの中に溶け込んでいくような気がします。

67 他者が自分を決めていると考えてみる

――レヴィナスの他者論

〈解説〉

自分と他者のどちらが大事でしょうか？　ほとんどの人は自分と答えるでしょう。なぜなら、私たちは自分が中心にあって、その周りに他者がいると考えているからです。物事を決めるのは自分なのだと。

その一方で、他者の存在を中心に考えた哲学者がいます。フランスで活躍したエマニュエル・レヴィナス（１９０６－１９９５）です。レヴィナスによると、そもそも他者というのは、自分とは根本的に異なる存在です。外からやってくる差異です。

その差異である他者は自分が好むと好まざるとにかかわらず、私の中に入ってきます。言い換えると、私たちはどうしても他者とかかわらざるを得ません。だからレヴィナスは、他者を中心に据え、その他者に対して私たちは無限の責任を負うというのです。自分中心なら自分に無限の責任を負うように、他者中心になれば他者に無限の責任を負うはずだという理屈です。

このことをレヴィナスは、他者の存在そのものが「倫理」だと表現します。いわば他者のおかげで、私という存在が成り立っているのだから、他者こそが人生の基準になるということです。考えてみれば、私たちは他者なしで生きることはできません。

だから自分の存在よりも他者が先立つと考えるのです。私たちはついそのことを忘れ、自分の中に入ってくる差異をなくしてしまおうとします。それがいかに危険な発想なのかは、レヴィナスが批判した全体主義の反省からもわかると思います。全体主義とは他なるものを一切認めない思想ですから。この世には自分とは違う他者が必要なのです。このレヴィナスの哲学は、自分中心の現代社会を見直す契機になるように思えてなりません。

〈こんな感じで使ってみよう〉

Ⓠ—常に自分より他者を優先するとしたら、日常生活はどう変わるでしょうか？

Ⓐ—まず、もっと人を見るようになる気がします。私たちは普段自分のことばかり考えているので、人を見ていません。だから困っている人がいても気づかないのです。いや、気づいても知らんぷりをすることさえあるでしょう。そんな態度が改まると思います。また、人間関係ももっとよくなるのではないでしょうか。人は自分中心に生きているから、他者とぶつかります。他者を優先すると、そのような衝突はなくなるに違いありません。その結果、もっと他者や社会に貢献する新しい自己像を確立することができるようになる気がします。

68 知識は道具だと考えてみる

——デューイのプラグマティズム

〈解説〉

私たちはなぜ知識を身につけるのでしょうか？　よく受験勉強の際に習得した知識のことを役に立たないと批判したりしますが、では何のために勉強するのか。本当に知識は役に立たないのでしょうか？

この問題を考えるうえで参考になるのが、アメリカの哲学者ジョン・デューイ（１８５９－１９５２）の「プラグマティズム」です。もともとプラグマティズムとは、ギリシア語で行為や実践を意味するプラグマという語に由来します。日本語では実用主義などと訳されます。

プラグマティズムとは、文字通り実用性を意識した哲学です。いかにもアメリカ的です。とりわけデューイは、私たちの日常を豊かにすることを哲学の目的に据えました。したがって知識もまた、それ自体に目的や価値があるのではなく、人間が環境に対応していくための手段となります。

いわばあらゆる知識は、人間の行動に役立つ道具としてとらえられるわけです。これは道具主義とも呼ばれます。その道具主義の発想のもと、デューイは、知識を道具として役立てるためのプロセスを確立していきます。

具体的には、①探究の先行条件（不確定な状況）、②問題の設定、③問題解決の決定（仮説形成）、④推論、⑤仮説のテストという段階を経る必要があるといいます。つまり知識をこうした問題解決のプロセスの中で活用することによって、実際に役立てようという発想です。ちなみにこのプロセスは、現代の問題解決型教育の原型であるといわれています。

近年、問題解決型学習が小学校から大学まで導入されています。日本の学校でもようやく、デューイの唱えた知識を道具にする発想が取り入れられたということでしょう。

〈こんな感じで使ってみよう〉

Ⓠ—知識が道具だとしたら、物事を学ぶ際の姿勢は変わるでしょうか？

Ⓐ—そもそも私たちは何の役に立つのかわからない知識を闇雲に詰め込んできました。もし知識が人間の行動に役立つ道具だと実感することができれば、学ぶことはもっと楽しくなると思います。自分の知識をどう応用しようかという積極的な姿勢に変わるからです。その結果、学びの量も増えるのではないでしょうか？　いずれにしても、勉強は面白くない、つらいというネガティブなイメージを一掃することが可能になるような気がします。

69 未開の方が優れている場合があると考えてみる

——レヴィ＝ストロースの野生の思考

〈解説〉

私たちはつい文明社会の方が未開社会よりも優れていると思いがちです。でも、はたして本当に優れているのでしょうか？　そこで参考にしたいのが、フランスの文化人類学者クロード・レヴィ＝ストロース（１９０８－２００９）の「野生の思考」です。

レヴィ＝ストロースによると、未開人の野生の思考は遅れているとか単純だとかいうのではなく、ただ発想が異なるだけだといいます。たとえばそれは、ブリコラージュという概念によく表れているといえます。なぜなら、ブリコラージュは近代を象徴する科学の発想とは正反対だからです。

ブリコラージュとは、その場に応じて、あり合わせの断片を材料にして創意工夫しながら作品を組み立てることをいいます。器用仕事などと訳されることもあります。これに対して、近代科学の思考は、予め決められた全体的な計画に基づいて、調達した部品を用いて製品を組み立てるだけのものです。

日曜大工が典型ですが、あり合わせの材料で適当にやった方が意外とうまくいくことはあります。その意味ではブリコラージュが優れているともいえます。このブリコラージュの例を見てもわかるように、レヴィ＝ストロースは、これまで未開社会の粗野な発想に過ぎないとされてきた野生の思考を、実は近代科学と同じ合理的な科学であると指摘した点が画期的だったわけです。

もちろんレヴィ＝ストロースは、野生の思考の方が優れているとしても、それが近代科学にとって代わるべきだなどといいたいわけではありません。そうではなくて、異なる両者の思考法をうまく場面に応じて使い分けるべきだというのです。どちらも利点があるのですから。

〈こんな感じで使ってみよう〉

Q—野生の思考の優れた点を、どのように日常生活に活用することができるでしょうか？

A—そもそも私たちは設計図やトリセツに頼り過ぎているような気がします。野生の思考はそうしたマニュアルを捨て、文字通り野生の勘で生きようとするものです。言い換えるとそれは、本能的に生きるということなのではないでしょうか？　想定外の出来事や災害の際には、そんなマニュアルに頼らない野生の思考に基づいた臨機応変さが役に立つとさえいえます。非常事態に備えて普段から野生の思考を意識し、トレーニングしておくといいと思います。

70 答えを出さない方がいいと考えてみる

――キーツのネガティブ・ケイパビリティ

〈解説〉

私たちはどうしても答えを出そうとします。そうでないとすっきりしないからです。でも、この不確実な時代、なんでも答えが出るわけではありません。だからモヤモヤするのです。だとしたら、そもそも答えを出さなくても済むような発想をしたらどうでしょうか。そこで参考になるのが、19世紀初頭のイギリスロマン主義の詩人ジョン・キーツ（１７９５－１８２１）が唱えた「ネガティブ・ケイパビリティ」です。あえて訳すなら、消極的受容力とでもいえるでしょうか。

もともとキーツは、詩人や作家の取るべき望ましい態度としてこのネガティブ・ケイパビリティについて論じていました。不確実なものや未解決のものをそのまま受け止める能力のことです。

これによって人は、早急に答えを出してしまうのではなく、本当の正解を導くためにより多くの可能性を残した状態でいられるというわけです。詩などの文学的表現には、まさにそうした可能性、つまり余韻を残した状態が求められるといっていいでしょう。

それは文学だけでなく、あらゆる分野に当てはまります。実際、ネガティブ・ケイパビリティは、後に精神医学などに応用されています。不確実なのに無理に答えを出しても、それが正しいとは限りません。

だとするならば、いっそ不確実性をそのまま受け止めた方が、悩む必要はなくなります。さらにこの場合、事態がはっきりした時には、様々な可能性の中から本当に正しい選択をする余地が残るという利点もあります。

〈こんな感じで使ってみよう〉

Ⓠ—ネガティブ・ケイパビリティで判断を留保した方がいい事例を考えてみてください。

Ⓐ—たとえば、うまくいっていない時に、人生をどうするかは早まって決めない方がいいと思います。そんな時はネガティブ・ケイパビリティで、あえて選択せずに日常を過ごすのです。そうすれば、いずれ自ずと決めたくなる瞬間がやってくるはずです。あるいは、世の中が混沌としている時もそうです。時代が変わろうとしている時に、従来の価値観で物事を判断すると誤りを犯す可能性があります。そんな時こそネガティブ・ケイパビリティで見極める方が賢明です。

71 インターネットは世界を狭めると考えてみる

――サンスティーンのインフォメーション・コクーン

〈解説〉

インターネットは一般的に世界を広げると思われています。いつでもどこでも新たな人や情報とつながることができるからです。ところが、アメリカの法学者キャス・サンスティーン（１９５４－）によると、必ずしもそうとは限りません。

サンスティーンは、「インフォメーション・コクーン」という概念を使って、インターネットの問題点を指摘します。インフォメーション・コクーンとは、情報の繭《まゆ》という意味です。あたかも特定の情報に閉じ込められ、かつその中で快適に過ごしている様子を揶揄《やゆ》するものです。人々は、ＳＮＳをはじめとしたインターネット技術のせいで、自分自身のインフォメーション・コクーンの中に包み込まれています。たしかに、自分にとって都合のいい情報だけに包まれていれば、心地よく過ごせるでしょう。でも、サンスティーンは、それこそが民主主義の危機であると指摘します。

なぜなら、民主主義を維持するためには、自分とは異なる見解を知ることで他者の価値観を理解し、集合的な共有経験を持たなければならないからです。インフォメーション・コクーンはそうした経験を不可能にしてしまうというわけです。

そこで彼は様々な方策を提案しています。たとえば、政治的見解を掲載する際に反対意見へのリンクを貼ることや、自分の過去の思想傾向からは選択しないであろう記事と偶然出逢うための「セレンディピティボタン」を画面に配置するといったことです。

〈こんな感じで使ってみよう〉

Ⓠ―インフォメーション・コクーンから脱出するための方法を考えてみてください。

Ⓐ―インフォメーション・コクーンに閉じこもってしまっていることは、自分ではなかなか気づくことができません。したがって、そこから脱出したいなら他者の視点が不可欠です。インターネットの外の現実世界では、他者に指摘してもらうという手があります。でも、そもそもインターネットの外に出ようとしないのが問題なので、そうなるとインターネット上でもあえて自分と反対の意見を調べてみたり、興味のない分野にもなるべく目を向けたりといった心がけが必要でしょう。

72 お金なんて貯めない方がいいと考えてみる
――ジンメルの貨幣の哲学

〈解説〉

誰もがお金は貯めた方がいいと思っているはずです。でも、ドイツの哲学者ゲオルク・ジンメル（1858－1918）にいわせると、必ずしもそうではありません。参考になるのは彼の貨幣に関する考え方です。ジンメルによると、貨幣とは最終的な価値への橋渡しに過ぎません。

つまり、お金はそれ自体が目的ではなくて、お金をどう使うのかが重要だということです。この点ジンメルは、「しょせん人間は橋の上に住みつくことはできない」といっています。

お金は橋と同じで、自分が行きたいところに行くための道具に過ぎないという意味です。だから橋がいくらあっても、私たちは橋の上に住み続けるわけにはいかないのです。いつかは渡る必要があります。

またジンメルは、お金のことを「精神的なものの器」であるとも表現しています。精神的なものを活発に働かせるためには、そんな器が必要だということです。たしかに、いくら心の中に何か訴えたいことがあっても、それが物理的な形にならないことには、表現のしようがありません。

たとえば、とてもおいしい料理をふるまってもらったとしましょう。そしてその感謝の気持ちを表現したい時、相手に渡すお金の額で表現できれば非常に便利です。自分も思いを伝えることができてすっきりしますし、相手も満足することでしょう。つまり、お金の価値が反映しているのは、私たちの気持ち、心にほかなりません。

結局、お金を貯める行為自体には何の意味もなくて、貯めたお金で何を実現するかという目的こそが重要なのです。

〈こんな感じで使ってみよう〉

Ⓠ—お金は橋だとすると、お金とどのように付き合うようになるでしょうか？

Ⓐ—お金が橋のように手段だとすると、ただお金を貯めようとか節約しようとかいうのではなくて、まず何がしたいか、目的思考になると思います。お金を使って何を叶えたいのか、夢は何かといったように。必然的にそれは、自分に向き合う機会になることでしょう。お金を所有することを目的にしていると、自分が見えなくなりますが、お金は目的地に向かう橋だと思えれば、自分と向き合えるようになるのです。

73 ＳＮＳに使われていると考えてみる

――ハンの情報支配制

〈解説〉

私たちはＳＮＳを使っているのでしょうか、それとも使われているのでしょうか？ この問題を考えるヒントになるのが、ドイツで活躍する哲学者ビョンチョル・ハン（１９５９－）の「情報支配制」という概念です。

ハンによると、現代の民主主義は情報支配制に陥っているといいます。情報支配制とは、情報とデータによって人々が支配されてしまっている状態のことです。たとえば、私たちがインターネット上でＳＮＳを含む様々な情報から影響を受けていることを指します。

さらに問題なのは、私たちが自分で自由に情報を取りにいくことができると信じ、それを実践してしまっている点だといいます。だから容易に支配されてしまうのです。このメカニズムは非常に巧妙なのですが、自分で情報が取れると思うと、人は可能な限り多くの情報にアクセスします。そもそもインターネット上の情報はほとんどが無料ですから。そして自分で取りにいった情報だけを鵜呑《うの》みにしがちです。

しかし、他方で私たちはいくら情報を取っても、そうした「情報のもとにとどまることはできない」のです。これはハンの表現ですが、いわば情報は次々と流れていくので、一つの情報に向き合い、じっくり考える余裕がないということです。もちろん話し合う時間など持てません。

その結果、私たちは他者の声を聴く機会を奪われ、偏った情報に踊らされることになります。これが情報支配制がもたらす帰結の一つなのです。

〈こんな感じで使ってみよう〉

Ⓠ―情報支配制と陰謀論の関係について考えてみてください。

Ⓐ―情報支配制の特徴は、多くの情報を提供することで考える機会を与えない点にあります。その意味では、昨今不安を煽る陰謀論が拡大するのも、こうした情報支配制とは無縁ではないように思えます。なぜなら、陰謀論は少し考えればおかしいとわかるにもかかわらず、疑うための余地を持たない多数の人たちによって広められるものだからです。情報支配制によって考える機会が与えられないと、なんでも鵜呑みにしてしまうのです。陰謀論はまさにそうした考えない人たちをターゲットにしているわけです。その意味で、情報支配制と陰謀論という二つの現代的現象は、共犯関係にあるといっても過言ではありません。

74 欲望は誰かの真似に過ぎないと考えてみる

――ジラールの三角形的欲望

〈解説〉

欲望はどこから生じているのか？　普段私たちは自分の中からそれが生じていると思っています。でも本当にそうなのでしょうか？　フランスの思想家ルネ・ジラール（１９２３－２０１５）はそんな問いを投げかけています。

ジラールによると、私たちは何か対象について直接的に欲望を持つわけではありません。そうではなくて、その対象を欲している他者を模倣することによって、他者の媒介を経て欲望を持つといいます。

そしてこの自分、他者、対象の間で形成される関係を「三角形的欲望」と呼びます。つまり、何かが欲しいのではなくて、それを誰かが持っているから、自分も欲しくなるということなのです。友達の持っているものが欲しくなるとか、ＳＮＳで楽しそうに使っていたから欲しくなるというように。

ただそうすると、欲しい対象が一つしかなく誰かと競合するような場合、ライバル関係になってしまいますよね。友達と同じ人を好きになったりするのが典型です。この状態をジラールは内的媒介と呼びます。

もちろん、何もかもが他者との取り合いになるわけではありません。単純に他者をモデルにしてその生き方に憧れるような場合は、問題は生じないでしょう。この状態を外的媒介と呼びます。

いずれにしても、欲望が他者の模倣であるということがわかれば、欲望をコントロールしやすくなるのではないでしょうか？　欲望は原因がわからないから苦しみの原因になるのです。でも、なぜ自分がそんな欲望を抱くのかがわかれば、対処する方法が見えてくるように思うのです。

〈こんな感じで使ってみよう〉

Ⓠ—人の模倣がしたくて欲望を抱くということがわかったら、今後人生はどのように変わりますか？

Ⓐ—人の持っているものがうらやましいと感じることはよくあると思いますが、それが当たり前なのだとわかれば、もっと開き直って素直に真似をするのではないでしょうか。また、誰かと同じものを求める状態をうまく生かして、同じ趣味を持つ仲間を増やすことも可能になると思います。

75 希望とは断念することだと考えてみる

——三木清の希望

〈解説〉

皆さんは「希望」を持って生きていますか？　そうやって改めて聞かれると、自分にとって希望とは何なのか考えますよね。そうして人は自分の希望を探しますが、なかなか見つかりません。なぜなら、希望とは探すものではなくて、むしろ断念するものだからです。

そんなふうに逆説的に表現したのが、日本の哲学者、三木清（１８９７－１９４５）です。まず三木は、希望は形成力だといいます。つまり、希望を形成しながら生きるのが人間だということです。その意味で、生きるということはイコール希望を持つことだともいいます。これはわかりやすいと思います。

では、いったいどうすれば人は希望を形成することができるのか？　それは三木の思想の根本にある構想力という概念に着目するとよくわかります。三木によると、構想力とは、ロゴス（論理的な言葉）とパトス（感情）の根源にあって、両者を統一し、形を作る働きにほかなりません。

いわば人間が時に理屈で考えながら、時に感情に任せて何かを求める行為、それこそが構想力です。したがって、希望を形成する時も、私たちはまず感情に任せて突き進むと同時に、理屈で考えて現実的になっていくのだと思います。その過程を三木は断念という逆接的な言葉で表現するのです。

たしかに、手に入らないものを断念することでしか、私たちは前に進むことができません。現実的になることで諦める。でもその結果、本当に求めていることが明らかになっていきます。決して妥協ではなく、これだけは譲れないというものが。現実を生きる私たちは、そうして希望を手にするよりほかないのです。

〈こんな感じで使ってみよう〉

Ⓠ—希望が断念することだとすると、どのような行動を取ればいいでしょうか？

Ⓐ—まず今やっているたくさんのことの棚卸しをするでしょう。つまり、必要なことと不必要なことを分析することになると思います。そうして徐々に一つに絞っていくのです。その結果最後に残ったものこそが、自分の希望になるのだと思います。だからといって、今すぐその最後の一つを選ぶのは難しいかもしれません。でも、自分にとって何が最後に残る希望なのか自覚しておくだけでも、今後進むべき人生の方向性が明らかになるのではないでしょうか。

76 メタバースは現実世界だと考えてみる

——チャーマーズのReality＋

〈解説〉

インターネット上に構築される三次元の仮想空間＝メタバース。その可能性は日々広がりつつあります。あたかももう一つの世界に生きるかのように、私たちはメタバースで別の人生を送ることができるのです。

でも、はたして本当にそうなのかどうか？　オーストラリア出身の哲学者デイヴィッド・チャーマーズ（１９６６－）は、メタバースをいち早く哲学の主題としてとらえ、その本質に迫っています。彼は、「Reality＋（リアリティ・プラス）」という概念を掲げ、メタバースは現実と仮想現実の世界が一体となったものだと論じています。

つまり、人はあたかも現実を生きるかのように、アバターとして仮想空間で生きることができるのです。逆にいうと、そもそも現実と仮想現実に区別などないということです。彼の思想を一言で表現するなら、「仮想空間は真の現実である」といえます。つまり、メタバースという名のもう一つの現実の世界を手にするということです。実際、メタバースで買い物をしたら、現実社会で請求されるわけですから。

もっとも、現実と変わらないとはいうものの、チャーマーズはメタバースには人間がもっと可能性を発揮できる余地があると期待を込めます。たとえば病気で寝たきりだとしても、意識さえあればアバターとしてメタバースの中で自由に生きられるからです。そんなメタバースの正の側面と負の側面をよく見極めたうえで、私たちは新しく世界を構築していく必要があるでしょう。

〈こんな感じで使ってみよう〉

Ⓠ—メタバース上で生きるとしたら、どんな心構えがいるでしょうか？

Ⓐ—チャーマーズがいうように、メタバースが現実の延長線上にあり、現実と変わらないとすれば、私たちはもっと慎重になる必要があると思います。仮想空間をあたかも現実逃避の場所として、夢の中の出来事のようにとらえるのは危険だということです。そうではなくて、海外旅行のように現実の枠の中にある非日常としてとらえることが必要だと思います。自分の行動に対してきちんと責任が取れるように。その点では現実社会とまったく同じだということです。たとえば、無理な買い物をしたり、人をだましたりしてはいけないということです。

77 人間は機械だと考えてみる

——トウェインの人間機械論

〈解説〉

人間は生身の存在だとよくいわれます。機械とは違うと。ところが、そんな人間観に異を唱えた思想家がいます。アメリカの作家であり思想家のマーク・トウェイン（1835－1910）です。あの『トム・ソーヤーの冒険』で知られる有名な作家です。

実は彼は、人生や人間に関する優れたエッセイを残した思想家でもあります。とりわけ彼のエッセイ『人間とは何か』は哲学的作品だといってもいいでしょう。この作品の中でトウェインは、「人間機械論」を唱えています。人間は機械と同じで、自分の意志や努力ではどうすることもできず、外的諸力によって影響を受け、動かされている存在だというのです。

したがって、そんな人間の業績をほめても意味がないといいます。自分がやったわけではないからです。これは悲観的な人間観だといわれますが、ある意味で本質をついているようにも思います。

とはいえ、同じ環境、条件であれば、生み出す成果に差が出た場合、生産性が高い方や優れた業績を上げた方をより高く評価すべきようにも思います。これに対してトウェインは、仮にネズミであっても人間の学者であっても、原理、機能、過程という点ではどちらも同じで、人間が「そのものとしての優秀さ」を主張する資格はないというのです。

同じ人間同士ならなおさらです。人間は誰もが尊厳ある存在であり、かつトウェインのいうように外的な力によって結果に差がついているだけだとすれば、そこで優劣をつけること自体が間違っていることになります。

〈こんな感じで使ってみよう〉

Ⓠ—人間が機械と同じだとしたら、どんなメリットがあるでしょう?

Ⓐ—人間が機械と同じだとしたら、意志や努力といった考え方は意味がなくなるので、人間を平等に評価することができるようになると思います。性能が違うのは、その人のせいではなく、機械を作った側が悪いのですから。人間でいえば、神が創ったということになるでしょうか?これによって、人間が人間を評価するいやらしくかつ無理のある制度がなくなるといったメリットが考えられます。

78 記録より記憶が大事と考えてみる
――ヴィーコのトピカ

〈解説〉

今はなんでも記録できる時代です。それだけ記録するための媒体が発展してきています。特にスマホは私たちの身近な記録媒体だといっていいでしょう。写真や動画を高いクオリティで保存できるからです。

でも、はたして記録のテクノロジーが発展することは、人間にとっていいことなのでしょうか？　この問題を考えるうえで参考になるのが、17世紀から18世紀にかけて活躍したイタリアの哲学者ジャンバッティスタ・ヴィーコ（１６６８－１７４４）です。彼は当時支配的であった判断を重視する学問方法クリティカに対して、むしろ発見を重視する学問方法「トピカ」の優位性を唱えました。

ヴィーコは、そもそも学問は発見から始まると訴え、それを「新しい学」と呼びました。その発見を可能にするのが記憶にほかなりません。遠くにあるものを呼び起こして、手元にあるものと結び付けるのです。発見のために記憶を活用するわけです。

　したがって、ヴィーコによると、記憶とは単に物事を覚えておくことではなく、物事を生み出す構想力です。そう考えると、記録のためのテクノロジーが発展することを手放しで喜んでいるわけにはいかなくなるでしょう。それは構想力の衰えを意味するのですから。

　たしかにスマホを使えばアイデアも答えも検索できるかもしれませんが、それは構想力ではなく、スマホに判断を委ねることを意味します。そうすると、ヴィーコの批判したクリティカに再び優位性を奪われる結果になってしまいかねません。

〈こんな感じで使ってみよう〉

Ⓠ―記憶の方が記録より大事だとすると、日常にどんな変化が起こりますか？

Ⓐ―たとえばきれいだなと思った景色や、面白いなと思った出来事もすぐにスマホで撮影するのではなく、まずは記憶にとどめようとすると思います。ただ、記憶は消えていくので、忘れないように、人に語ったりして時々思い出すようにするのではないでしょうか？　そうして、より頭を使う日常へと変化していくような気がします。

79 若さは激しさで手に入れられると考えてみる

――ガルシアの激しい生

〈解説〉

若さを手に入れるにはどうすればいいでしょうか？　美容整形したり、サプリメントを摂取したりする人はいますが、やはり気持ちが大事です。とはいえ、いったいどんな気持ちになれば若くいられるのか？　そこで参考にしたいのは、現代フランスの気鋭の哲学者トリスタン・ガルシア（１９８１－）の思想です。

ガルシアは「激しさ」という言葉に着目します。そしてこの語を近代以降の人間の倫理、いわば正しい指針として描こうとするのです。激しさとは、ガルシアの喩えによると、近代に登場した電気のごとき力にほかなりません。私たちがいつまでも若くあるためには、そんな激しさが必要だといいます。問題は、どうすれば激しさを手にすることができるかです。ここでガルシアは倫理としての激しさを実行するための三つの策略を挙げています。

一つ目は変異です。彼は音楽における抑揚を使って説明しています。音楽と同様私たちのあらゆる経験には抑揚があります。様々な出来事がありますし、毎日同じことをしていても少しずつ異なるはずです。その抑揚の細かい変化に着目することで、生に強さが生じるというのです。

二つ目は加速です。技術を見れば明らかなように、人生も社会も加速することで、強度を増します。ＡＩによって社会の発展が加速しているのはその証拠です。ゆっくり生きていてはいけないということでしょう。

三つ目は初体験信仰です。これはガルシアの造語なのですが、要は一回目の経験に価値を見出す考え方です。なんでも初めての経験は印象が強いものです。その印象の強さを利用するということです。

以上の三つを意識して生きていれば、いつまでも若くいられるということになります。

〈こんな感じで使ってみよう〉

Ⓠ―具体的にどんな日常を過ごせば、激しく生きられるでしょうか？

Ⓐ―ガルシアのいう三つの策略を日常で実践すればいいと思います。まず変異については、毎日のルーティンの中にもどんな変化があるか、日記をつけるなどして意識的に発見するようにするといいでしょう。次に加速については、時間を決めて物事を速度を上げて行う習慣をつけるといいかもしれません。最後の初体験信仰については、初めてのことにどんどん挑戦するようにすればいいでしょう。

80 どんな場合も政府に従うのは危険だと考えてみる

――ウエストの行動哲学

〈解説〉

とかく日本人は政府に従っていれば問題ないと思ってしまいがちです。コロナ禍の緊急事態宣言などまさにそうでした。でも、本当にそれでいいのでしょうか？　コロナ禍でさえ、政府の方針がすべて正しかったとはいいきれません。

政府は神様ではないので、当然間違いを犯します。そこで参考になるのが、アメリカの哲学者コーネル・ウエスト（１９５３－）の思想です。ウエストはメディアでも積極的に発言し、テレビでもおなじみの知識人です。

これまで彼は人種問題や民主主義の問題を論じ、かつ自らもデモに参加したり、抗議活動で逮捕されるなど、かなり過激に行動する哲学者として活躍してきました。そんなウエストによると、おかしなことに立ち向かっていくためには、パレーシアとパイデイアが必要だといいます。

これらはいずれも古代ギリシアの哲学用語で、ウエストの「行動哲学」を特徴づけるものといえます。パレーシアとは危険を顧みず真理を語る勇気のことで、パイデイアとは批判的能力を養う教育のことです。この二つは車の両輪のように常に同時に求められるのだと思います。

勇気をもって真理を語るためには、日頃から批判的能力を養っておくことが必要ですし、逆に勇気をもって真理を語れる人がいて初めて、批判的能力を養う教育が可能になるからです。日本人がつい政府に従ってしまうのは、そうした教育が欠けているからでしょう。この混沌とした時代、政府が何もかもコントロールできるわけではないので、おかしいことはおかしいと主張できる批判的能力を身につけておく必要があるといえます。

〈こんな感じで使ってみよう〉

Ⓠ―新たなパンデミックが起こったとして、政府の指示にすべて従いますか？

Ⓐ―ウエストのいうパレーシアとパイデイアの意義を知ると、必ずしも政府の指示にすべて従うことが正しいわけではないように思えてきます。おそらく何が正しいのか、批判的に検討することで、自分なりに判断をすることになるのではないでしょうか。少なくともそういう能動的な姿勢でいた方が、どんな状況にあってもきちんと自分の身を守ることができるように思います。

81 聖なるものを求めるのは当たり前だと考えてみる
——エリアーデのホモ・レリギオースス

〈解説〉

聖なるものを求めるというと、何やら怪しい感じがするかもしれません。でも、宗教に帰依したり、あるいはアイドルの推し活をしたりすることもまた、ある意味で聖なるものを求める行為になります。そう考えると、人間として普通の行為に思えてくるのではないでしょうか？宗教は別として、おそらく誰にでもファンや推しのような対象がいるはずです。なぜなら、人はそういう対象を持たないと生きていけない存在だからです。

実はそれは人間が宗教を求めることと関係しています。宗教学者ミルチャ・エリアーデ（１９０７－１９８６）は、人間のことを「ホモ・レリギオースス」と表現しました。人間は宗教的な生き物だという意味です。

エリアーデによると、そんな宗教的な生き物である人間は、「聖なるもの」を求めます。いわばそれは特別な時空間であり、特別な体験のことです。日常は何もなければ均一で無意味な時空間に過ぎません。これは聖に対する俗といっていいでしょう。でも人間は、そうした無意味な俗の時空間だけでは耐えられません。

だから聖なるものを求めるわけです。それは聖体示現（ヒエロファニー）という形をとって現れるといいます。たとえば聖域や寺院、大聖堂といった物理的なものから、イニシエーション（儀式）や祝祭のような無形的なものまで含めて。

エリアーデの理論が普遍的なのは、これが狭い意味での宗教の話にとどまるものではなく、広く世界に秩序をもたらす力として論じられている点です。特定の宗教を信じていなくても、罰が当たるから悪いことをしないというのはその一例でしょう。つまり聖なるものとは、人間である限り、普通に求めてしまう日常の中の特別な感覚なのです。

〈こんな感じで使ってみよう〉

Ⓠ—聖なるものを取り入れると、日常はどう変わるでしょうか？

Ⓐ—日常が特別な時空間になり、ワクワクドキドキして生きることができるような気がします。アイドルなどの推し活をしたり、パワースポット巡りをしたりする人たちのように。もっとも、聖なるものは宗教から来ているので、そのワクワクドキドキというのは、心を苦しめるような感覚ではなく、むしろ心を落ち着けるものなのだと思います。その意味で、聖なるものがあった方が、充実した日々を過ごせるのではないでしょうか。

82 誰でも巨悪を犯しうると考えてみる

——アーレントの悪の陳腐さ

〈解説〉

皆さんは巨悪を犯さないという自信がありますか？　普通は巨悪は特殊な人間が犯すものだと思いがちです。ところが、ドイツ出身のユダヤ系思想家ハンナ・アーレント（１９０６－１９７５）にいわせるとそうではありません。

アーレントがアメリカに亡命して活躍していた頃、ナチスの将校だったアイヒマンという男が、イスラエルの情報機関モサドに捕まります。そしてエルサレムで裁判にかけられることになりました。そこで裁判を傍聴したアーレントは、極悪人だと思われていたアイヒマンが、ただハンコを押すだけの役人であったと指摘しました。

とかく私たちは、ナチスのような絶対的な悪が存在すると思い込んでいますが、実際にはアイヒマンを見ればわかるように、悪とは平凡な人間でさえも持ちうる陳腐なものだということです。だからこそ、気を付けなければならないと警鐘を鳴らしたのです。

そしてアーレントは、その「悪の陳腐さ」の背景に、完全な無思想性があると主張します。

何も考えずに物事をやっていると人間は大変な悪を犯してしまうということです。たとえ悪気がなかったとしても。

こうした主張は、ナチスを特殊な人間と決めつけたかった人たちから強く非難されましたが、アーレントは主張を曲げませんでした。そうした意見に屈すること自体が、悪に加担することにつながると考えたからです。だから果敢に論争に挑みました。アーレントが世の中のことについて考える公共哲学の祖と称されるゆえんです。

〈こんな感じで使ってみよう〉

Ⓠ—自分が巨悪を犯すかもしれない可能性について考えてみてください。

Ⓐ—私たちは、日頃そんなことを考えて生活や仕事をしているわけではありません。ただ、日々のノルマをこなすのに精いっぱいです。でも、そこに落とし穴があるのです。ノルマをこなすのに精いっぱいだと、考える余裕がなくなります。そのため組織がおかしな方向に走っていても、気づくことさえなくなります。世の中の企業や自治体の耳を疑うような不祥事は、そうやって起こるのです。これがアーレントのいう無思想性です。自分の周りでも、気づかぬうちに小さな悪が積み重なっている可能性があるかもしれません。

83 劣等感はいいものだと考えてみる

——アドラーの課題の分離

〈解説〉

人間は人と比べる生き物です。そうして自分の方が劣っているとか、できないとか、いわゆる劣等感を抱きがちです。ただ、すべての劣等感が悪いわけではありません。そこで参考にしたいのが、オーストリアの心理学者であり、哲学者といってもいいアルフレッド・アドラー（1870－1937）の思想です。

もともとは内科医だったアドラーは、自分の身体の弱さをバネにして舞台で華やかに活躍するサーカス芸人たちを目の当たりにし、劣等感こそが人を成長させるのだと気づきました。ただ、その劣等感を他者との競争に向けるのではなく、自分の理想に近づけるために生かすことが大切だというのです。

つまり、劣等感には悪い劣等感と良い劣等感があるということです。悪い劣等感は他者との比較によって生まれるもので自分を苦しめるだけです。他方、良い劣等感は自分の理想を直視することで生まれるもので、自分を高めてくれます。

よく考えてみれば、本当は他人なんてどうでもいいのです。人がどうであれ、自分がどうありたいかということこそが重要なはずです。アドラーはそのことを「課題の分離」と呼びました。つまり自分の課題に他者を介入させないという意味です。自分の課題は他人にとっては意味がなく、そして何より自分にしか解決できません。

劣等感を抱いたなら、それは自分の伸びしろだと思って努力する。そんなシンプルな生き方を目指しましょう。

〈こんな感じで使ってみよう〉

Ⓠ—劣等感を前向きにとらえる方法を考えてみてください。

Ⓐ—劣等感を抱くのはよくないことだと思いがちですが、アドラーの哲学によってその固定観念は取り除かれるはずです。そこで劣等感は伸びしろだと割り切って、前向きにとらえたいと思います。たとえば、劣等感を抱くということは向上心がある証拠だと思います。そう思えれば、勉強でもスポーツでももっと努力するでしょう。また、劣等感を自分の中のうまく生かせていない部分と見れば、まさに伸びしろになります。以前身長が低いことに悩んでいたある芸人さんが、むしろそれを売りにすることで活躍のきっかけをつかんだといっていました。劣等感を生かすも殺すも自分次第なのです。

84 復讐は悪くないと考えてみる

――ハーショヴィッツの復讐論

〈解説〉

一般に復讐は悪いことだとされます。憎しみの連鎖が続くだけだと。でも本当にそうなのでしょうか？　我慢することだけが正しいのでしょうか？　そんなふうに異を唱えるのが、アメリカの哲学者スコット・ハーショヴィッツ（生年非公表）です。彼は、「悪に悪を返しても善は生まれない」という常識を覆すかのように、「悪に悪を返せば善が生まれることもある」と断言します。

そもそも、悪に対して抵抗しないと、自尊心を傷つけることになります。あいつは悪に甘んじる存在だと周囲に思われることで、自分自身もそう思い始めるからでしょう。

そうならないためには、悪に対してははっきりと怒りを示し、抗議する必要があります。だからハーショヴィッツは、やり過ぎない限り、二度目の悪はまったく悪ではないといいます。

行為の道徳的な質は、それが何を伝えるかによって決まるというわけです。同じ言葉でも、他者を貶《おとし》めるために発された最初の悪と、自分の名誉のために発された二度目の悪とではまったく意味が異なります。悪に対する二度目の悪は、善になりうるのです。

ハーショヴィッツによると、裁判で訴えることにはそうした効果があるといいます。必ずしも金銭的補償を主目的とするのではない復讐としての裁判がそうです。相手の行為の不正を証明し、自分の名誉を守ることができるからです。さらには、そうした悪い行為を社会全体が拒否するきっかけを作ることもできます。まさに復讐が善になるということです。

〈こんな感じで使ってみよう〉

Ⓠ—いじめられた際、善を生み出す復讐の仕方を考えてみてください。

Ⓐ—いじめに対してこっそり復讐するのは、その瞬間はすっきりするかもしれませんが、後悔するかもしれません。それは二度目の悪が単なる悪になっているからでしょう。そうならないようにするためには、自分の名誉を守り、かついじめはいけないということを周囲に知らしめる必要があります。具体的には、勇気を出していじめの事実を学校や職場に訴え、いじめた側が罰せられる状況を作るのがいいと思います。たとえそれが復讐心からの行為であるとしても、結果的には善になりうるからです。

85 自分の幸福は他者への義務だと考えてみる

――アランの不撓不屈の楽観主義

〈解説〉

誰もが幸福になりたいと思っています。でもなかなかなれません。自分がなるのも難しいそんな幸福を、他者への義務だと考えてみたらどうでしょう？　参考にするのはアランことエミール＝オーギュスト・シャルティエ（１８６８－１９５１）の幸福論です。三大幸福論と呼ばれる著名な幸福論のうちの一つです。

アランというのはペンネームなのですが、彼は新聞にたくさんのコラムを寄稿しています。それをまとめたものが著書『幸福論』です。彼は自らを「不《ふ》撓《とう》不屈の楽観主義」者と称するほどポジティブな哲学者です。だからこそ新聞のコラムを通じて人々を元気にすることができたのでしょう。

ではどうすれば幸福になれるのか？　それは自分の意志次第だといいます。何もしなければ人は不幸になる。だから幸せになる意志を持たなければならないというわけです。逆にいうと、意志を持つだけで幸せになれるのだから簡単なことです。お金も特別な才能も必要ありません。

自分のポジティブな気持ち次第なのです。

そしてアランは、自分が幸福になるだけでなく、それを伝染させて他者を幸福にするのは義務だといいます。なぜなら、不幸だとそれが伝染して他者を不幸にしてしまうからです。いわば私たちは、誰もが他者を幸福にするための責任を負っているのです。

幸福のお裾分けをするためには、そもそも自分が心配や不安を抱えてネガティブになっている場合ではありません。まずは自らが幸福になり、ポジティブな気持ちで他者に接することが必要なのです。

〈こんな感じで使ってみよう〉

Ⓠ―自分の幸せは他者への義務だとしたら、人生はどう変わるでしょうか？

Ⓐ―まず努力して自分が幸せになろうとするでしょう。自分が幸せでなければ他者を幸福にすることなどできないからです。そのうえで、自分の幸福をどうすれば他者に伝えることができるか、他者を幸せにすることができるか真剣に考えるようになると思います。言い換えるとそれは、利己的な人生ではなく、利他的な人生を送るということなのかもしれません。その結果、自分も他者も両者とも幸せになることが可能になるように思います。

86 人とはわかり合えないと考えてみる

――ロックの経験論

〈解説〉

私たちは本当に人とわかり合えているのでしょうか？　複数人で同じケーキを食べている時、皆がおいしいといったとしても、そのおいしいは同じ感覚なのでしょうか？　実はそれはわからないということを発見したのが、17世紀イギリスの哲学者ジョン・ロック（1632－1704）でした。

ロックはイギリス「経験論」を完成したといわれます。人は経験によってタブラ・ラサと呼ばれる心の白紙に観念を書き込んでいくと主張したのです。ただ、その経験は誰もが同じように獲得するわけではないといいます。

そもそも物体の性質は、物体そのものから切り離せない一次性質（形や大きさなど）と、人間が五感でとらえることで初めて存在する二次性質（味や匂いなど）に分類されます。でもこの二次性質は人によって違うので、同じ色や味を表現していても、本当に同じ感覚を持っているかどうかは判別しようがないというのです。

このことをわかりやすく示したのが、ロックの哲学をベースにして後に考案された「逆転クオリア」という思考実験です。クオリアとは、意識をめぐる現代の最新の哲学分野で議論されている主観的な体験のことです。同じ物理的刺激に対して、人がどのように異なる経験をしているか、その可能性を考えるものです。

たとえば「今日は空が青いね」といった時、友達が「うん、青いね」と答えたとしても、二人が同じ色を感じているとは限りません。つまり、真理とはあくまで主観的なものです。にもかかわらず、私たちはそこを勘違いして、あたかも自分の常識が万人にとっても客観的な常識であるかのように接してしまうのです。

〈こんな感じで使ってみよう〉

Ⓠ—逆転クオリアを前提にすると、人とのコミュニケーションはどう変わるでしょうか？

Ⓐ—私たちはつい、皆同じように物事を感じ、理解していると思いがちです。でも、逆転クオリアによると、決してそうとは限らないわけです。リンゴは赤いといっていても、その赤をどう感じているかはわからないのですから。そうすると、人とは必ずしもわかり合えないということが前提になります。だから相手がわかってくれなくてもイライラする必要はないのです。むしろわかり合えないからこそ、冷静なコミュニケーションが取れるのではないでしょうか。

87 言葉の意味は文脈で決まると考えてみる

――ウィトゲンシュタインの言語ゲーム

〈解説〉

普段私たちは、言葉の意味は辞書に書いてあって、予め決まっていると思いがちです。たしかに一応は決まっているのですが、あくまで一応です。同じ言葉でも文脈によって意味が変わってしまうことがあるからです。

オーストリア出身の哲学者ルートヴィヒ・ウィトゲンシュタイン（1889－1951）は、そのことを明確に指摘したことから、後の言語哲学に大きな影響を与えることになりました。ウィトゲンシュタインが提起したのは、「言語ゲーム」という概念でした。言語はそれ単体では意味が確定するものではなく、私たちが日常において言葉をゲームのようにやり取りする中で、その意味を確定していくという主張です。

その意味で言語ゲームとは、生活形式だといいます。言葉を話すという行為は、生活の営みそのものだということです。言い換えると、言葉はあくまで道具であって、使う場面に応じて意味が変わるのです。

たとえば、八百屋で「リンゴ５つ」といえば、店主はリンゴを５つ渡してくれるでしょう。そしてその代金を請求してきます。でも、画家に同じことをいえば、リンゴ５つを描くかもしれません。

だから言葉を使う際は、生活という文脈を正しく読まなければならないわけです。具体的には、その言葉がやり取りされる状況をよく観察するということです。言葉なんて音だけ聞けば、あるいは字面だけ見れば理解できると思われがちですが、むしろそれが使われる状況、つまり文脈の観察こそが大事なのです。

〈こんな感じで使ってみよう〉

Ⓠ―言語ゲームを意識すると、日常の言葉の使い方はどう変わるでしょうか？

Ⓐ―まず自分が言葉を使う際には、相手と文脈が共有できているかどうかを確認するようになると思います。また、人の言葉を受け取る際にも、相手の意図する文脈を言葉とセットでとらえるようになると思います。そうすることで、コミュニケーションで生じる曖昧さを可能な限り排除し、お互いの誤解を減らしていくことができるでしょう。

88 正しい戦争があると考えてみる

——ウォルツァーの正戦論

〈解説〉

戦争はなかなかなくなりません。人間に欲望がある限り、そして国家がある限り、私たちは戦争を続けるのかもしれません。だとするなら、正しい戦争について考えることには意味があるのではないでしょうか。そうでないと、一切の歯止めもなく、今以上に恐ろしい結果を招きかねないからです。

そこで参考にしたいのが、アメリカの政治哲学者マイケル・ウォルツァー（1935－）の「正戦論」です。つまり、いかなる場合に戦争が正しいとされるかという理論です。実は正戦論自体は古代ローマの時代からあるのですが、ウォルツァーはそれを現代の文脈で精緻に理論化しています。具体的には、「戦争への正義」と「戦争における正義」の二つの条件が満たされて初めて戦争は正当化されるといいます。

「戦争への正義」とは、戦争に大義が求められるということです。領土や主権が侵犯されているなどの状況にある時です。正当防衛と同じ考え方です。自衛戦争がこれに当たります。

「戦争における正義」は、仮に戦闘行為を行わざるを得ないとしても、非戦闘員は決して攻撃の対象にしてはいけないというものです。当たり前のように思いますが、実際には守られないことが多いのです。

ただ、そもそも非戦闘員かどうか見分けがつきにくいという問題があります。また、ドローンで爆撃するような現代のハイテク戦争においては、誤爆がつきものです。さらに、緊急事態にあっては、被害を最小限に食い止めるといった理由から例外を認めがちです。したがって、実際に正しい戦争を実現するのは困難を極めるといえるでしょう。

〈こんな感じで使ってみよう〉

Ⓠ—正しい戦争を実現するためには、どうすればいいでしょうか？

Ⓐ—まずウォルツァーのいう「戦争への正義」の条件を満たすためには、自国に非がないことが大前提となります。そのためには、最後まで外交交渉で事態の解決に臨まなければなりません。その際相手国を挑発するような姿勢を見せてはいけないでしょう。また「戦争における正義」に関しては、さらに慎重になる必要があります。相手が確実に兵士であるとか、戦争関連施設であることを確認してから、必要最小限の攻撃を加えるようにしなければなりません。今世界で起こっている戦争は、いずれの観点からも正しいとはいえないように思います。

89 情熱で突破できると考えてみる

——ウナムーノの極端なもの

〈解説〉

「無理そうだな」と思うと、しばしば私たちは簡単に諦めてしまいます。あるいは、前に進むことを躊躇します。その結果、最後には無難な選択をし、後悔することもしばしばです。はたしてそれは正しい生き方なのでしょうか？

そこで参考にしたいのが、スペインの偉大な哲学者ミゲル・デ・ウナムーノ（1864－1936）の思想です。彼は、生と死をテーマに実存主義的な思想を確立したといわれています。そのウナムーノが理想とするのは、スペイン文学に登場する架空の英雄ドン・キホーテのような生き方です。だからウナムーノの哲学は、情熱の哲学とも呼ばれます。

彼が目指す生き方は、自分で認識している自分、他人から見た自分、さらに現実にあるがままの自分ではなく、むしろ自分がそうありたいと望んでいる自分になることだといいます。

またウナムーノは、人生は夢ではないかともいっています。もし夢であるなら、「肉と骨」でできた感情を持つ人間が、その夢を超え出て現実を生きるにはどうすればいいのか？　それは相手が風車か巨人かと詮索しているよりも、心情の溢れるままに突進することだといいます。あたかもドン・キホーテが果敢に風車に向かって行ったかのごとく。

なぜなら、「極端なもの」を取り除いて中庸を求めるようなやり方では、真理の影にしか到達できないからです。そうではなくて、人生とは闘いなので、極端なものの力を際立たせるところこそが真理に近づく方法だと主張するのです。その意味での情熱をもってすれば、突破できないことなどないでしょう。たとえ一気にゴールにたどり着くことは難しくとも、一歩前に進めるのは間違いありません。ミッションの完遂は、その繰り返しの先にあります。

〈こんな感じで使ってみよう〉

Ⓠ—無理そうなことにチャレンジする際、情熱で突破できると思えればどのように行動するでしょう?

Ⓐ—人間は無理そうだと思うと、100パーセントの力を注げないものです。その結果、諦めたり、失敗したりしてしまいます。失敗すれば嫌でも諦めざるを得ないので、最初から無理だと思わず、情熱で突破できると信じてみるのはどうでしょうか。そうすれば準備にも熱が入るでしょうし、もしかしたら本当に突破できるかもしれません。何より、物事はやってみないとわからないものです。そのためにも情熱で突き進むことには意味があると思います。

90 紙の本の方が優れていると考えてみる

――エーコの有機的な道具

〈解説〉

皆さんは紙の本が好きですか？　それとも電子書籍の方が好きですか？　たしかに文字を読むだけなら、電子書籍の方がかさばらないうえに、様々な機能も付いていて便利だといえます。でも、はたして本当に電子書籍の方がいいのでしょうか？

そこで参考になるのは、イタリアの哲学者ウンベルト・エーコ（１９３２－２０１６）の考えです。エーコにいわせると、紙の本は印刷技術などを別にすれば５００年前と本質的には変わっていません。なぜなら、本はもうこれ以上うまく作りようがないからです。その意味でスプーンと同じだといいます。スプーンを今あるスプーンよりよいものにするなんて不可能だろうと。だから本も紙質の面では進化しても、本のままだというわけです。

とはいえ、いくら本がこれ以上変わらない最高の形なのだとしても、電子書籍がインターネットにつながっている以上、情報量という点で紙の本はかなわないような気もします。いくらでもダウンロードできるのですから。

ところがエーコは、インターネットはなんと姿を消すことだって考えられるといいます。書くという行為はもともと紙を想定しており、その意味で有機的な行為です。いわば身体と直結した伝達技術です。これに対して、インターネットは「有機的な道具」ではありません。その証拠に記録メディアは、有機的ではないがゆえに、方式が変わると使い物にならなくなります。今やカセットテープやビデオテープを視聴するのが困難なように。

これはきっと、人間の行為と対象との双方向的で臨機応変な対応関係を維持できないからでしょう。その点では、紙の本の方が優れているのかもしれないということです。現に私たちはこれだけテクノロジーが進化しても、何百年前の本を読むことができるのですから。

〈こんな感じで使ってみよう〉

Ⓠ―紙の本の方が優れているとしたら、本との付き合い方はどう変わるでしょうか？

Ⓐ―紙の本の方がいつまでも残ると考えると、より記憶にとどめておくための媒体として活用するように思います。その時々の思いを書き込んだり、あるいはモノとしてもその存在自体が記憶になるように位置づけるのではないでしょうか。私たちが本をプレゼントにするのはそうした理由からだと思います。その意味では、本自体が記憶のための媒体なのかもしれません。

91 食べることは人生だと考えてみる

――エピクロスの快楽主義

〈解説〉

普段私たちは、食べることをどれだけ重視しているでしょうか？　もちろん食事の時間を楽しみにしている人も多いと思いますが、食べることイコール人生とまで考えている人はそれほど多くないのではないでしょうか？　そこで参考にしたいのが、ヘレニズム期の哲学者エピクロス（紀元前３４１－紀元前２７０）の思想です。

彼はこういっています。「一切の善の始めであり根であるのは、胃袋の快である」。つまり、食べることは人間にとって単なる生命維持を超えて、すべての善の基礎になっているというのです。エピクロスは快楽主義者と呼ばれますが、彼の快楽の根源は食べることにあったのです。

とはいえ、たくさん食べれば食べるほど快楽が増すかというと、そうではありません。また、贅沢をすればそれで幸せなのかというと、そうでもないのです。私たちはどうしても量や質を求めてしまいますが、エピクロスはそのいずれも否定しています。

むしろ彼は適切な量だけを食べるよう勧めています。質についても、水とパンだけで快楽を得られるといっているくらいですから。よく誤解されるのですが、エピクロスのいう「快楽主義」は、心を高揚させることとは正反対の考え方なのです。

彼の掲げる快楽はアタラクシアといって、心が乱されない状態を指します。そのためには、食べ過ぎず、贅沢をしないことが求められます。そうやってきちんと自分の飲食をコントロールできれば、真の快楽を得られ、幸福な人生が送れるということです。

〈こんな感じで使ってみよう〉

Q—適切に食べることこそが幸せにつながると気づくと、食生活はどう変わるでしょうか?

A—エピクロスのいうように、食べ過ぎず、かつ栄養過多になり過ぎないように注意すると思います。そうでないと、食生活が乱れるだけでなく人生そのものが乱れてしまうからです。大げさだと思うかもしれませんが、実際食生活の乱れが原因で病気になることは珍しくありません。また、誰と何をどう食べるか、食生活をもっと重視することで、人生全体の幸福とつながるように思います。

92 愚かな方が思慮深いと考えてみる

——エラスムスの痴愚神礼賛

〈解説〉

思慮深さというと、賢明な人の代名詞のように思いますが、本当にそうでしょうか？　ルネサンス期の思想家デジデリウス・エラスムス（１４６６－１５３６）は、そんな「当たり前」をひっくり返してくれます。彼の随筆『痴《ち》愚《ぐ》神礼賛《しんらいさん》』は、痴愚の女神モーリアが人間の愚かさを皮肉るというユニークな作品です。

その中でエラスムスは、真の思慮深さは賢人にではなく、愚者にこそ備わっていると論じています。たしかにこれは皮肉なのですが、他方で真理を突いてもいます。たとえば、物事を知るうえで大きな妨げとなるものが二つあり、愚者はそれらを一掃することができるといいます。

その二つとは、恥じらいと懸念です。恥じらいは心の目を曇らせ、懸念は危険が迫ると行動を妨げるからです。なぜ愚者の方が恥じらいや懸念を取り除くことができるのか？　それはそんなつまらないことを気にせず果敢に前に進むからです。

恥じらいのせいで好きな人に告白できないとか、懸念のせいで新しいことにチャレンジできないなどというのは、思慮深さではなく、ただの臆病でしょう。結果的にその判断が正しかったとなることもあるかもしれませんが、ほとんどの物事はやってみないとわかりません。

つまりエラスムスにいわせると、物事を的確に判断することだけが真の思慮深さではないのです。この例からもわかるように、真の思慮深さとは、物事を果敢にやってのけることであり、その方が成功をもたらす可能性が高いというわけです。まったく逆説的ですが、一理あるといえます。

〈こんな感じで使ってみよう〉

Ⓠ—愚かな方がいいとすると、日常に向き合う姿勢はどう変わりますか？

Ⓐ—恥じらいがなくなり勇気が出ると同時に、何事にも積極的になれるような気がします。特に日本人は失敗してはいけないと思い込む傾向が強いので、こうした姿勢がプラスに働くように思います。たとえば人前で意見をいうとか、英語を話すといったことも、恥じらいや失敗への恐れというネックが解消されてできるようになり、それに比例していろいろな物事に成功する確率も高くなるでしょう。

93 子どものように遊べばアイデアが出ると考えてみる
――エリクソンの遊び

〈解説〉

大人になるとなかなかアイデアが出てこないものです。子どもの頃はすぐに「遊び」のアイデアが浮かんで実践していたのに。皆さんも心当たりがあるのではないでしょうか。ということは、アイデアは子どものように遊べば出てくるのかもしれません。

現にそのように考える思想家がいます。アメリカのエリク・ホーンブルガー・エリクソン（１９０２－１９９４）です。彼はアイデンティティの概念の提唱者として知られる発達心理学者でもあります。そのエリクソンが、次のように遊びを三分類しています。身体感覚による遊びを意味する「自己領域」、玩具を用いた遊びである「小領域」、他者との遊びである「大領域」の三つです。

もともとは子どもの遊びを念頭に置いたものですが、大人にも当てはまるといいます。大人もまた、仕事で何か考える際に、ある意味で遊びという活動をしているのです。つまり、まず思考という名の自己領域で活動を開始し、そのうえで実験室の中や製図板の上で事態の雛形《ひながた》を作ることによって、過去から未来を創造的に予測し、未来への希望を強めていきます。そうして他者とかかわるのです。

やや抽象的ですが、子どもが遊ぶプロセスと大人の仕事は変わらないということです。大人が仕事で問題を解決したり、アイデアを出したりするプロセスでは、あたかも子どもが遊びの際にしているのと同じことをしているのです。

いずれにしても、アイデアを出す際は、何より楽しんでやるということが大事なのだと思います。

〈こんな感じで使ってみよう〉

Ⓠ―アイデア出しを遊びにしてしまう方法を考えてください。

Ⓐ―たとえば、子どもの頃どうやって遊んでいたかを思い出せばいいと思います。遊びですから、みんなでわいわいガヤガヤやるのもいいのではないでしょうか？　そういう楽しい雰囲気がアイデア出しには不可欠です。だから会議室ではだめなのです。また、アイデアを出すこと自体をゲームにしてみるのもいいと思います。競争が興奮につながり、面白いアイデアを出すことにプラスの影響をもたらすからです。

94 貴族になれば自分の意見が持てると考えてみる

――オルテガの大衆の反逆

〈解説〉

自分の意見を持つためにはどうすればいいでしょう？　スペインの思想家ホセ・オルテガ・イ・ガセット（１８８３－１９５５）は、貴族になればいいといいます。ただ、貴族といっても精神的貴族の話であって、伝統ある家庭に嫁ぐとか養子になるという意味ではありません。

そもそもオルテガは、大衆を批判しています。この場合の大衆とは、エリートに対する一般庶民ではなく、凡庸な精神を持った平均人のことです。この意味での大衆は、少しでも変わった人がいれば攻撃しようとします。

オルテガは、戦前のファシズムや共産主義運動のことを念頭に、「大衆はリンチすることしか知らない」ともいっています。ただ、現代のネット上の炎上も同じだといえるのではないでしょうか？　当時の大衆も、現代のネット上でＳＮＳを使っている多くの人たちも、共に自分の拠《よ》って立つところを欠いているからです。

そういう人たちは、自分が大勢の一部であることによって初めて存在意義を持ち、自分自身を正当化します。だからよってたかって炎上に乗っかろうとするわけです。したがって、こうした状況を変えるためには、一人ひとりがしっかりとした自分を持つ必要があります。オルテガのいう精神的貴族とは、そのような個々人のことを指します。そうして初めて人は、自分が付和雷同的に他者の意見に乗っかっていた事実に気づきます。

　では、精神的貴族になるためにはどうすればいいか？　それは、自分を根無し草のような存在だと思うのではなく、時間的にも過去から連なる存在であり、空間的にもどこかの集団に属する存在であると自覚することです。土台がないとしっかりとした意見が持てないからです。

〈こんな感じで使ってみよう〉

Ⓠ―精神的貴族になると、ＳＮＳ上でのふるまいはどのようになるでしょうか？

Ⓐ―まず自分の過去にさかのぼることで、体験に根差したしっかりとした意見を持つことができるので、人にとやかくいわれても気にならなくなります。また、他者に対しても寛容になるのではないでしょうか？　なぜなら、自分さえしっかりとした考えを持てば、他人の考えも受け入れられるようになるからです。自分と考えが違えば、前向きに議論すればいいだけのことです。もっともＳＮＳ上で議論する必要はないので、顔の見えない相手とこじれるようなことはないと思います。

95 ＳＮＳのフォローの背景には恐怖があると考えてみる

――カネッティの接触恐怖の転化

〈解説〉

私たちはなぜ他人のＳＮＳをフォローしたり、自分のフォロワー数にこだわったりするのでしょうか？　この問題を考えるのに参考になるのが、ブルガリア出身の思想家エリアス・カネッティ（１９０５－１９９４）の群衆に関する考察です。

カネッティによると、人には見知らぬものとの接触を避けようとする本能があるといいます。それを「接触恐怖」と呼んでいます。だから人は、個人間の距離をゼロにして一つになることを目指します。つまり、群衆となることで異質なものに対する恐怖を退けようとするわけです。この現象をカネッティは「接触恐怖の転化」と呼びます。

そうして接触恐怖を退けるために群衆となった人々は、仲間の数を増やすこと自体を目的にし始めるといいます。その方が恐怖が減るからです。またこの群衆には、指導者がいない点が特徴だともいいます。彼らは誰かに指導されるのではなく、皆平等な立場でいたいからです。

このカネッティの群衆論は、戦前のドイツのナチズムを念頭に置きつつも、必ずしも具体的な時代や場所を特定したものではなく、むしろどの時代にも通じる、普遍的なものでした。だからこそ、現代のＳＮＳに応用することもできると思うのです。

つまり、フォロワー数を増やしたいのは、人間の本能だから仕方ないということです。皆恐怖を避けるために、群れているのです。もっとも、カネッティも指摘しているように、群衆は権力に利用される危険性が常に潜んでいます。現代のＳＮＳの場合、政治権力だけでなく、フォロワーを広告のターゲットとする巨大ＩＴ企業なども含め、私たちは常に利用される危険にさらされていると思った方がいいでしょう。

〈こんな感じで使ってみよう〉

Ⓠ—ＳＮＳで群れることが恐怖を退けるためだとしたら、今後どのような態度を取ればいいでしょうか？

Ⓐ—まず異なる意見を持つ人たちを異質なものとして恐れるのではなく、多様性だと思えば、無理に群れる必要はなくなります。また、同じ意見の人たちは議論することがないので、思考が停止し、自分たちの外部にいる人から操作されやすくなります。群衆が操作されてしまうのは、そうした理由からです。そんな事態を避けるためにも、異なる意見を積極的に受け入れ、群衆の一員になってしまうことを予防する必要があるでしょう。

96 今を生きればマンネリ化を克服できると考えてみる

――アドの幸福論

〈解説〉

誰しも同じことを繰り返していると、マンネリ化に陥るものです。普通はそんな時、新しいことに挑戦したり、転職したりしがちです。でも、本当にそこまでする必要があるのかどうか？　フランスの哲学者ピエール・アド（１９２２－２０１０）の思想を参考にして考えてみましょう。

実はアドは何度も手術を受け、死を意識した経験があります。そんな中でたどり着いたのが、今を生きるという境地でした。彼はそのことを、「世界を初めて見るかのような、そして最後に見るかのような気持ちで生きること」と表現しています。

そういう心持ちで生きていると、すべての瞬間に無限の価値が存在することに気づくといいます。つまり、新しいチャレンジなどせずとも、またリスクを冒して転職などせずとも、日常の中で少し視点を変えるだけで幸福を感じることができるわけです。

いつもの仕事でも、初めてやった時のことを思い出し、「もしかしたらこれが最後かもしれない」と思えれば、緊張感や喜びが生じてくるはずです。そういうものの見方ができるようになるために、アドは高いところに登ることを勧めます。というのも、人は高いところに登って下界を見ると、人間という存在の小ささを感じるからです。

そうして自分もそんなちっぽけな人間の一人だと思うと、狭く利己的な視点から解放され、広く普遍的な視点を獲得できるというのです。すると、当たり前の日常を新鮮な目でとらえ直すことにつながり、そこに感謝の念さえ生じてくるのではないでしょうか。

〈こんな感じで使ってみよう〉

Ⓠ—アドの今を生きるという思想を念頭に置くと、日常生活はどう変わるでしょうか？

Ⓐ—まず、一つひとつの自分の行動がゆっくりかつ丁寧になると思います。普段見過ごしているものをじっくりと見つめ、その意義を考えるでしょう。そんな中で改めて発見することも多いと思います。また、物事に感謝することが増えるので、人や物にやさしくなれるように思います。

97 芸術は世界認識の方法だと考えてみる

――グッドマンの芸術論

〈解説〉

芸術の鑑賞は趣味の範囲にとどまるものだと思っていませんか？　アメリカの哲学者ネルソン・グッドマン（1906－1998）の芸術に関する哲学を知れば、もっと深い意味があることがわかります。なんと彼は、芸術とは世界認識の方法だと主張しています。

グッドマンは、科学と芸術には実は共通性があるといいます。というのも、科学も芸術も、共に現実の世界との適合性を問題にしているからです。科学の知識や仮説が、世界を説明するための手段であることはわかると思います。同様に、芸術の表現もまた、現実の世界をとらえるための方法だということです。

さらにグッドマンの説がユニークなのは、芸術は科学よりも世界認識を広げるうえで大きなメリットがあるという点です。なぜなら、芸術の表現にはメタファーが含まれているからです。現実世界と違って、芸術の表現はあくまでシンボルであって、そこには無数の可能性が含まれます。だから抽象的なものほど、様々な意味を込めることができるのです。いわば私たちの想像の数だけ、意味が生じてくるわけです。

したがって、芸術を鑑賞する際、私たちがその作品と現実の社会の何かとを結び付ければ、それはその芸術を通して世界を認識したということになります。ニュースを見るのとはまったく別の方法で。だから意義があるのです。

〈こんな感じで使ってみよう〉

Ⓠ—芸術が世界認識の方法だとしたら、過去の芸術を見ることにどのような新しい意義があるでしょうか？

Ⓐ—たとえ過去の作品であっても、現代に通ずる普遍的なテーマを扱っていることはあると思います。たとえばピカソのゲルニカはスペイン内戦の風刺ですが、戦争批判は今にも通ずるテーマといえます。戦争批判というシンボルが普遍的であるがゆえに、どの個別の戦争にも当てはめ、重ね合わせることができるということです。つまり、それを通して現代社会を批判することが可能になるのです。ゲルニカに描かれているように、人だけでなくあらゆる生き物が、爆撃によって命を奪われる残酷さは、どの戦争にも共通しています。だからあのゲルニカの無機質で残酷な描写を見て、今起こっている戦争、そしてこれから起こるかもしれない未来の戦争に反対することが可能になるのです。

98 沈黙は音楽だと考えてみる

——ケージの沈黙

〈解説〉

「沈黙」に耐えられないという人の声をよく聞きます。おそらく音楽も音声もない無音の状況がつらいのでしょう。でも、沈黙ははたして何もない状況なのかどうか？　アメリカの音楽家で思想家のジョン・ケージ（１９１２－１９９２）にいわせると、沈黙もまた音楽です。

ケージが作る音楽は、自ら実験音楽と呼ぶように、まさに実験的で野心的なものです。その象徴となるのが、沈黙を音楽として紹介した『４分33秒』でしょう。楽譜では４分33秒という演奏時間が決められているだけで、オーケストラは一切演奏をすることはありません。その時間に偶然生じた音、たとえば聴衆の咳や雑音が鳴り響くだけです。

ここでケージがいいたかったのは、沈黙とは無音ではなく、偶然生じた音が存在している状態だということです。その意味では、いかに沈黙を作りだそうとしても、それは私たちには不可能だということがわかります。

だからケージは、「私が死ぬまで音響は存在する」と主張するのです。常に何かが鳴り響いており、それは沈黙であると同時に音響なのです。彼が植物の成長にも音が伴っているとして、キノコを音源にしたことがあるのもそうした理由からです。

ケージもいっているように、コップ1杯のミルクを飲みたいなら、コップもミルクも必要ですが、やはりまずはミルクを入れるための空っぽのコップが必要です。つまり、この世界には音楽を楽しむための前提となる場、つまり沈黙が必要だということです。

〈こんな感じで使ってみよう〉

Ⓠ―沈黙は音楽だととらえると、日常はどう変わるでしょうか?

Ⓐ―まず沈黙が苦痛ではなくなると思います。そしてむしろ沈黙の中に潜む音を楽しみ始めるでしょう。あたかも音楽を聴くかのように、沈黙を楽しむ。一般的には、どこでもBGMがかかっていることからもわかるように、人は何か音がないと落ち着かないと思われています。でも、逆に何も音がない方が心を落ち着けることができるのかもしれません。そして、沈黙の中に生起する自然な音に耳を傾けると思います。その結果、この世の豊かさを音から知るようになるでしょう。

99 個々の差別に着目しても解決しないと考えてみる

——コリンズのインターセクショナリティ

〈解説〉

セクシュアリティに関する差別をどうとらえればいいでしょうか？　ＬＧＢＴＱ＋のように、普通はそれぞれの立場ごとに何らかの差別があると考えるでしょう。たとえば、ゲイであれば、男性同士の同性愛が差別されていると思うはずです。

ところが、問題はそう簡単ではありません。アメリカの社会学者パトリシア・ヒル・コリンズ（１９４８－）らによると、あらゆる差別は「インターセクショナリティ」の問題であって、個々人の置かれた状況ごとに考える必要があるといいます。インターセクショナリティというのは、日本語では交差性などと訳されることもあるように、複数の差別要素が重なっている状態を指します。いわば人々が差別される問題を、きちんと分析するためのツールです。

たとえば、黒人女性が受ける差別は、人種差別と性差別に還元することはできません。それは黒人女性に対する交差的な差別なのです。日本において女性が性以外の理由で差別される場合には、それは必然的に交差的なものになってくるでしょう。たとえば経験の問題であるとか、年を取っているからというふうに。
　このように、インターセクショナリティでは、人種、階級、ジェンダー、セクシュアリティ、ネイション、能力、エスニシティ（民族性）、年齢などのカテゴリーが相互に交差する問題を扱います。複数の問題が交差している場合、それは単なる足し算ではなく、新たな別の問題として立ち現れてきます。それゆえに、○○差別といった一つの問題にアプローチするだけでは解決できない状況が生じていると考えるのです。

〈こんな感じで使ってみよう〉

Ⓠ―インターセクショナリティの発想からすると、ジェンダーレストイレはどうとらえればいいでしょうか？
Ⓐ―なにかと話題を呼んでいるジェンダーレストイレですが、まさに性別を問わず、誰でも使えるというコンセプトです。ただ、そのせいで悪用される恐れがあるとして問題になっています。でもだからといって廃止するのは早まった決断だと思います。特にインターセクショナリティの観点からは、性別ではなく個々人の様々な事情に着目することになるので、既存のトイレに不自由を感じる人のためにもジェンダーレスな公共空間は必要不可欠だと思われます。悪用の問題は、監視を強化するなどの方法で対処すべきでしょう。

100 実力なんて運に過ぎないと考えてみる

——サンデルの貢献的正義

〈解説〉

実力とは何でしょうか？　アメリカの政治哲学者マイケル・サンデル（１９５３－）は、もしそれが努力と才能による結果を指すなら、そんなものはたまたま努力できる環境に生まれたり、才能を与えられたりしただけなのだから、まったくの運に過ぎないといいます。にもかかわらず、私たちは努力と才能を過剰に高く評価して、いわゆる能力主義を採用してきました。それが学歴偏重主義を生み、結果として社会を分断することになってしまいました。

　そもそも努力すればいい大学に入れるかというと、決してそうとは限りません。生まれた境遇によって受けられる教育が変わってくるからです。つまり、努力できる境遇かどうかは運に支配されているということです。そのことをきちんと理解すれば、努力と才能に恵まれた勝者はもっと謙虚になれるでしょう。

　ところが現実には、勝者は驕《おご》り高ぶっています。他方、敗者は屈辱を覚えています。だからこそアメリカでは、高学歴ではない白人労働者層がトランプ前大統領を支持するというポピュリズムの問題が生じたわけです。

そこでサンデルは、能力主義による対立を乗り越えるべく、社会全体の目標である共通善を紡ぎ出す必要があると主張します。ただしそれは、従来のような消費者の幸福を最大化するものであってはいけません。むしろ生産者、つまり労働者の方に目を向けるべきだといいます。

つまり、すべての労働者が、自分も社会に役立っている、貢献できていると実感できる世の中を作らなければならないのです。資本家や消費者のように生産性を重視する正義から、労働者のための、いわば「貢献的正義」への転換が求められるのです。

〈こんな感じで使ってみよう〉

Ⓠ—実力は運に過ぎないとすると、社会の制度はどう変えるべきでしょうか？

Ⓐ—まず学歴社会を見直す必要があるでしょう。たとえば、大学入試に関しても、入学の機会を平等にするために全員好きなところに入れるようにするのはどうでしょう。就職についても同様の仕組みが検討されるべきだと思います。もちろん定員数はあるでしょうから、その時点では平等にくじで選んでもいいかもしれません。この場合のくじは、平等に機会が与えられたうえでの運なので、まったくそういう機会が与えられない現行の社会制度とは大きく異なるといえます。

おわりに
——疑いは終わりではなく始まり

疑うための方法、ご理解いただけましたでしょうか？　最後に、疑った後の哲学思考のプロセスについて少し触れておきたいと思います。哲学を使って当たり前を疑えば、これまでとは違うものの見方ができますし、新しいものが見えてくることと思います。

ただその後、具体的に新しい考え方ややり方を生み出すためには、さらに積極的に哲学思考を続ける必要があります。というのも、疑うことは哲学思考のプロセスの終わりではなく始まりだからです。

哲学的に考えるためには、疑った後、じゃあどのようなとらえ方ができるのか、より積極的に視点を変えていかなければなりません。一面的なものの見方、つまり思い込みを疑い、それ以外の見方を模索する。そういうステップが求められるのです。

そのうえで再度まとめ直し、新しい答えを導き出します。これが哲学思考のプロセスにほかなりません。だから私は、①疑う、②視点を変える、③再構成するという3つのステップをセ